JN116215

第2回「西の正倉院　みさと文学賞」作品集

kraken

第2回

西の正倉院 みさと文学賞 作品集

「西の正倉院 みさと文学賞」実行委員会・編

美郷町の物語資源

西の正倉院みさと文学賞は、昨年日本昔話に登場するようなのどかな風景がひろがる美郷町に生まれた文学賞である。美郷町には、「美しい郷」を象徴する九州山脈の山塊を源流とする小丸川、耳川、五十鈴川が流れている。その清流は、川の両岸に広がり、美味しい米が稔れる田んぼや畑を潤している。一方、山あいには、時を刻み、自然石で積み重ねられた石垣が無数にあり、先人の注いだ労苦を随所に目にすることが出来る。この恵まれた自然と培われた田園風景こそ、光源となって人々の暮らしを照らし出している。

また美郷町には、有名な師走祭、御田祭、宇納間地蔵大祭がある。美郷町三大祭りと呼ばれている。このほかにも町内各地に鎮守の森があり、人々の心のよりどころとなる祭りがいくつもある。文学賞を生み出す素地はこのような文化的営みを抜きには語れない。祭りのエネルギーは、人々を突き動かす無限の力を持っている。この文学賞の冠名「西の正倉院」が、平成初期から始まった地域おこしで、奈良正倉院と原寸大で建設されたが、そのエネルギーは、「伝説の百済王族父子の絆」を体現した師走祭を源泉にしている。前代未聞の比類なき取り組みであった。

西の正倉院とみさと文学賞をつくる土台は、緑豊かな自然と有形無形の文化の伝承活動である。加えて第1回文学賞の序文に、この地域の文学的取り組みについて書かせていただいたが、それは、美郷を冠名にした文芸誌の出版や郷土出身の歌人の顕彰活動など、水脈を同一とした文学賞の創設だった。

ＳＮＳ時代に入り、文学小説の衰退が見られるとき、一方で「生きる力」としての語彙の重要性が認識、強調されるようになった。人間の営みは、複雑で多様である。それをどう表現するかは、人それぞれである。とりわけ文学という領域の人間生活に与える影響は多彩で、読み手と書き手の胸中は、共感と驚きを持って、複雑に浸透したり、排除したり屈折したりもする。この文学賞の創設は、人間の尊厳を前提に、その多様性を根本的に承認したところからできあがった。紡いだことばの影響力は、絶大であるし、魅力もあるのである。

今回、中村航先生をはじめ関係者のみなさんのご尽力で第２回目の文学賞が決定した。審査員によると今回もクオリティーの高い作品が集まったとのことである。

昨年、第１回の文学賞の作品が単行本となり、大賞と優秀賞の作品がラジオドラマ化され、地元放送局で放送され、感動をよんでいる。さらにアロマによる「西の正倉院みさと文学賞」のイメージ商品開発「千年の森の香り」プロジェクトも発足し、波及効果として新たな広がりを見せている。

今後、国際的に混迷している社会情勢の中で、西の正倉院みさと文学賞が小さくとも一隅を照らす存在になってほしいし、美郷町の風土的土壌から芽を出した文学賞がさらにいろんな花を咲かせてほしいと心から願っている。

宮崎県美郷町

目次

佳作

総評

作家 中村航

深い歴史や風土、数々の観光資源など、美郷町の〝魅力的なところ〟は枚挙に暇がないが、もしかしたら、そのなかに「みさと文学賞」を入れてもいいかもしれない。

第1回の贈賞式では、僕を含めた選考委員や受賞者が、美郷町に集まった。贈賞式を終え、全員で会食をし、その合間に温泉に浸かった。そこで計らずも、受賞者と選考委員が露天風呂に浸かりながら、作品のことを語り合う、という図式ができたのだが、こんなことは他の文学賞では起こりようがない。僕にとって得がたい体験だったし、受賞者にとってもそうだろう。この賞に関わったことをきっかけに、美郷町が第二の故郷になった、と発言する者は多い（僕を含めて）。

そんな素敵な「みさと文学賞」が、第2回を迎えることになった。一次、二次選考を経た十五作品を読んだが、第1回よりもかなりレベルが上がっていることに、まず驚いてしまった。第1回でも面白い作品は多かったのだが、今回は面白いうえにレベルが高い。プロレベルの筆力で描かれた作品も多く、選考は極めて難しかった。

大賞に選んだ「六花の絆」は、爽快でユーモアのある作品だった。父親探し、という古来からある物語の大テーマを、短い枚数で感動的に仕上げている。失い、旅をして、愛を知り、成長する。ありそうでなさそうなこの物語は、舞台が美郷町でなければ、リアリティを失っていただろう。読んだ瞬間から好感を持ったのだが、高レベルの作品が多いなかで大賞とした理由は、くすりと笑えるユーモアがあったことだ。小説は大なり小なりユーモアを含むべきものだと思う。

優秀賞の「唄をうたひて」は、歌人、小野葉桜の苦悩が真に迫る力作だった。同じく優秀賞の「百済の料理人」は、モチーフや設定が素晴らしい。この二作の詳しい評は、それぞれ他の評者に譲る。

以下佳作となるが、それぞれ個性的で面白かった。「いつかまた」はできすぎの話にも思えたが、構成が巧みで最後まで読ませた。「旅の二人」はテンポが良く、登場人物のキャラクターが魅力的だった。「鼓くらべ」は井伊直弼の弟、政義の生涯を描いた力作で、佳作のなかでは最高評価をつけた素晴らしい作品だった。「逃げ水」は中学生が主人公の、好感度の高い小説。誰もが共感できる内容だが、ラストだけがやや惜しかった。「破片」はヒューマンドラマとして非常に良くできており、感動的な内容。伏線の回収も見事。「人ひとり」は、一番、美郷町を感じさせる小説だったかもしれない。読めば誰もが、どん太郎さんのファンになるだろう。

大賞

「六花の絆」

牧野恒紀

死んだ父から手紙がとどいた。電子メールで、絵文字までついて。

　ことの始まりは朝食後、母のふとした思いつきからだった。

「このお宝って、売れないかな」

　シングルマザーの建築士が一人息子に示したのは、もはや骨董品といっていい携帯電話機。スライド式で文字盤が現れる、いわゆるガラケーだった。

　彼女いわく十五年前に購入したもので、十年前から箪笥のこやしになっていたものを発掘したという。

「この手のものってマニアがいて、すごい高値がついたりするかも」

「たかが十五年前のやつだよ」

　頭をコツンとやられた。

「その十五年で、君は幼稚園児から大学生になったわけですが」

　倹約を旨とする母子家庭の定めに則り、売却を請け負うことに。リビングのパソコンで個人売買のサイトを覗くと、高値とまではいかないものの、需要はあるようだった。

　お宝を出品することにした。その前にやることがある。

　まさかと思いながら電話機を調べると、どういうわけか電話帳にデータが一件残っていた。

　あえて残したのか、何かの不備で消えなかったのか。

　名前は高山東春。〝とうしゅん〟と読むのだろうか。知らない名だ。住所は宮崎県東臼杵郡美郷町。

携帯電話の番号とメールアドレスも載っていた。

クローゼット前でスーツと取っ組み合っていた母に訊ねようとしたものの、嵐のように仕事に出ていってしまう。

「ゴメン、また後で！」

ドアが閉まり、問いも断たれた。

僕は永遠に答えを聞けないまま、ガラケーもごたごたの中に埋もれることとなった。怒濤の半月がすぎて日常がもどると、ようやく母が遺した品のことを思い出した。

すっかり広くなってしまった部屋で、電話機を手に考える。電話帳の彼が母と縁のある人ならば、やはり知らせておこうと思った。

自分の携帯電話を使い、思い切って電話帳の番号を押してみた。

相手が出た。男の声だった。

高山さんですか。違うけど、あんた誰。二、三のやりとりで、相手は電話番号を引き継いだだけの人だとわかった。

アドレスの方はどうだろう。

〝寺尾順子のことで知らせがあります〟。

寺尾夏俊の署名とともに、メールに記して送信してみた。

アドレスは生きていたようでエラーメッセージは出ない。すこし間を置いて、あっさりと返事がとどいた。

そこには思いがけない言葉が並んでいた。

〝ワタシは　アナタの　チチです〟。

なぜか雪だるまの絵文字が添えられていた。


「まよわず行こうよ。行けばわかるって！」

どこかのプロレスラーのようなセリフをはいて僕の肩をたたいたのは、女子高生の里村雪菜だった。

バイト先のピザ屋の同僚で、派手目のギャルっぽい女の子。半年前、新人として入ってきたときのことはよく憶えている。

「君って、夏の生まれなの？」

制服の〝寺尾夏俊〟の名札を見て、いきなり訊ねてきた。

「いや、一月の生まれだよ」

今まで百回は口にした答えを返すと、彼女は屈託なく笑った。

「あたしも雪の日に生まれたんだって」

雪の下でも懸命に芽吹いてほしい。そう願って、おばあちゃんが名付けてくれたのだと胸を張った。

「君のことナッツって呼ぶね。あたしのことはユッキーでいいよ」

「よろしくお願いします里村さん」

雪菜はギャルだったけれど、仕事ぶりは真摯で、言動に仲間を思いやる優しさがあった。店にな
じむのに時間はかからなかった。

そんな彼女が、バイトの休憩中に携帯のメール画面をにらむ僕のかたわらで、冒頭の言葉をはい
たのだった。

「驚いたよ。ナッツってガラケー使いなのな」

僕の携帯は高校時代から愛用する、二つ折りの年代物だった。

「維持費が安いのと、使い慣れてるから」

「スマホじゃないとLｉｎｅとかできないっしょ」

「できるよ、あまり使わないけど」

彼女はそっか、と嬉しそうに茶髪をゆらす。ＩＤ交換しようず、などと言い出すかと思ったがそ
れはなく、再度メール画面を覗く。

「で、どうするつもりよ」

高山氏からのメールには、自分が父であるとの告白のほかに、別件も記されていた。

会いたい、と。

自分は今、日本の国外で暮らしているが、一月の末に美郷町を訪れることになっている。そこで
会えないだろうかとあった。

死んだと聞かされていた父からメールが来て、九州のとある町で対面をもとめられる――。

普通の人は怪しむ。以前の自分だって断ったと思う。

けれど、今の僕は裡に厄介なものを抱えていた。それを解決するための鍵が〝父〟であるとわかっていた。

「ぜぇっっったいに行ったほうがいいって」

ギャルまで背中を押してくる。けど、と苦学生は躊躇する。

「東京から宮崎か……。交通費がかかりすぎるよ」

「そこは任せとけ」

女子高生が男らしく親指を立てた。キーリングを僕の前でゆらす。

オートバイのものらしい、厳めしい鍵だった。


有明月が雲間からのぞく空の下、海を隔てた対岸には光の大河がたゆたっている。

数千、数万の街の灯だ。あの下に人の営みがある。そう思うと、自分だけが取り残された気になる。東京を離れる心細さが強いのは、船旅のせいだけだろうか。

北九州の新門司港を目指すフェリーは、夜の七時すぎに東京港を離れていた。巨船が湾内を進み、旅立ちを祝す光の門が迫る。

展望デッキから東京ゲートブリッジを見上げながらも、僕の心は曇っていた。

一月も残り一週。大学を卒業すると、四月からは社会人になる。就職活動は低調に終わり、中堅の飲食系企業に就職が決まっていた。

進路に不満はない。ただ、社会に出ることに不安が募っていた。

裡に薄い膜のような怖じ気が覆い被さっていた。その因は多分、自分の根っこにある。遺伝上の父はいても、戸籍の欄は空いたままなのだ。

片親であることを引け目に感じたことはない。母は二人分以上の愛情を注いでくれた。父という根がない自分に頼りなさを抱いてしまうのは、僕自身の問題だった。

光の架け橋が遠ざかる。冬の夜気が降りてきて、コートの襟に首をうずめる。二つ折りのガラケーをパタン、パタンと開け閉めすると、それなりに気持ちが落ち着いてくる。

交通費節約の誘惑に抗えず、僕は雪菜とともに船上の人となっていた。頼みは彼女の中型バイクだった。

計画によれば、東京港までバイクの二人乗りでフェリーに乗船。三十数時間後、北九州に上陸する。再び二人乗りで南下、目的地である美郷町を目指すという。

「九州ツーリングしてみたかったんだよ。まだ関東は寒いからな」

学校はいいのかと訊ねたものの、三年生である彼女は三月の卒業式まで登校する必要がないらしい。大学へは推薦で進学するそうだ。

だからね、と雪菜は声を張った。

「あたしにとっては卒業旅行。楽しい思い出、いっぱい作ろうず！」

フェリー料金が約二万円。バイクのガス代は割り勘。格安航空機のチケット争奪戦に敗れた僕に、選択の余地などなかったのだ。

おーいナッツ、とデッキの向こう、ラウンジにつながる階段に同伴者がひょいと現れた。

「ここの自販機すごいな。炒飯とかカレーもあるぞ！」

二人きりで旅することに非難の声もあるかもしれない。それでも僕は、同伴者に彼女を選んだ本当の理由を自覚していた。

あの快活さが、この旅での自分を救ってくれるのではないか――。

そう考えていたのだ。


九州上陸は、東京を出てから三日目の朝だった。

「時間は大丈夫かな」

約束の時刻は午後三時。それまでに宮崎に入れるだろうか。

「そこは任せとけ」

女子高生は男らしく親指を立てると、愛車にまたがった。

雪菜の運転技術は相当なもので、平日で道がすいていたのも幸いした。激走の末、見事に目的地に到着した。

美郷町の人口は約五千人。県の北部、九州山地の山間に位置する。僕らのバイクが停まったのも、杉や雑木の大樹が身をよせ合う、鎮守の杜の前だった。

入り口に鳥居があって、看板も立っている。

〝神門神社〟。

船の中にいた間に、町の情報は仕入れておいた。由緒ある社で、本殿は国の重要文化財だという。

ここが高山氏が対面に指定した場所だった。

おつかれさま、と雪菜が愛車をなでている。

古いＨＯＮＤＡ製で、今も人気のモデルらしい。タンクの赤と白のツートンカラーの塗り分けはシックで、背後の緑の濃い風景にもなじんでいる。

一緒に行こうと誘うと、彼女はかぶりを振った。

「ここでバイクの点検してる。ちょっと無理させちゃったからな」

気を遣ってくれているらしい。

僕は単独で石段を上がっていった。ふと右手を見下ろすと、日本の家屋とは趣の異なる建物があった。

「あれが百済の館か……」

嘆声をもらす。屋根の反り返りや鮮明な色使いに異国情緒がある。朝鮮半島にあった百済王国と美郷町の縁を記念した建物で、その因がこの先にあるはずだった。

平日の境内にしては妙に人が多かった。祭りでもあるのか、神楽の舞台らしきものも設営されている。

石段を登り切ると拝殿が現れた。奥に本殿が控えている。高山氏とは拝殿前で落ち合うことになっていた。

鬱蒼とした木々に見守られ、朽ちかけつつある拝殿には、歳月がもたらした荘厳さが漂う。僕は辺りを見回しながら、神社の由来を思い返す。

八世紀半ばの朝鮮半島。国を追われた禎嘉王と王子の福智王は、広島の厳島あたりに落ちのびたものの、追っ手をかわすため九州への海路を往く。

荒天のため海ではぐれた王と王子は、上陸後に美郷町と木城町に居を定め、離れて暮らす境遇に。この神門神社は父王を祀っているそうだ。

離れて暮らしてきた父と僕。二人の初対面には、すこし出来すぎた舞台かもしれない。心の準備が整わないまま、その時を待った。


拝殿の右手の奥に石碑が立っていた。

説明の碑によると、禎嘉王に随身した神門郷の七人を祀ったもので、末裔が現在も奉仕に至っているとある。

町の歴史と、そこに深々と根を張った人々の営み。そこに思いをはせると、自分のうすっぺらい根っこへの不安がまた募る。

何時間が過ぎたのだろう。いつの間にか陽は山の向こう側に隠れ、社を囲む木々の影を長く伸ばしていた。

父を名乗る人は、ついに現れなかった。

長い影が近づいてきて、僕のそれとかさなった。

雪菜が革ジャンのポケットに手を突っ込み、唇をとがらせる。

「メールとか、送ってみたのかよ」

送ったよ、と僕は肩をすくめた。送信から一時間。返信はない。

携帯電話が疎ましかった。何かの事情で来られないのなら連絡がある。ないということは……つまり、そういうことなのだった。

悪かったね、と僕は相棒に笑いかけた。

「ただの悪戯だったよ。ここに来た意味はなかった」

ばかだな、とギャルにまた背中を押された。

「言っただろ。これは、あたしの卒業旅行でもある。うんまいもん食って、温泉入って盛り上がろうず！」

「混浴の露天風呂があるかも」

「そ、そいつはちょっと……」

もじもじと、急に女の子らしくなってしまった。

ふいにポケットの中の携帯電話が震えた。

メールの着信。高山氏からだ。

あわてて開いてみる。雪菜とともに文面を追う。

そこには、こうあった。

〝ゴメンナサイ　ワスレテマシタ〟。

やはり雪だるまの絵文字が添えてあった。


神門神社から国道を歩くこと数分。指定された宿は目と鼻の先にあった。

「こんな近くにいて約束を忘れてたのかよ」

雪菜がチッと舌打ちして鼻を鳴らす。穏便にいこうとなだめ、僕らは古民家風の宿に入っていった。

仲居の女性に来意を告げ、高山氏の居場所を訊ねると、食堂まで案内してくれた。

客の数が多い。夕方の六時すぎとはいえ、五十人あまりの夕餉がすでに始まっていて、室内には鍋料理の湯気と喧噪が満ちていた。

僕らは奥の席を目指す。そこに、目当ての人の後ろ姿があった。

柔道家やレスラーを思わせる広い背中だった。小山のような、という喩えがふさわしい。すでに席上にビールの空き瓶が並んでいる。

あの、と声をかけると、巨漢がぐいっと振り向いた。

「寺尾夏俊、です」

まじまじと見つめてくる。くしゃっとした髪の下、ガキ大将の面影を残す顔に笑みが爆ぜた。

「とってもいいタイミングよ！」

吠えるような声でがははと笑った。文句をぶつけようと身構えていた雪菜まで呆気にとられている。

「このキムチ鍋は韓国の味よ。一緒に食べるよ。ケンチャナヨ！」

野球のグローブみたいな手で肩をバシバシとたたかれ、僕と雪菜は対面に座ることになった。

目の前に、大男と湯気が立ち昇るキムチ鍋。

父だという人物との初対面。喜び、驚き、怒り、涙……。

予想していた感情は、どれもわいてはこなかった。

僕はただ、とまどっていた。

高山氏の言葉のイントネーションは、明らかに日本人のそれとは異なっていた。

「本当の名前はコ・ドンチュン。ワタシは韓国の人です」

高山氏が呆れるほどふくれた財布を取り出す。中身のほとんどが名刺のようで、自分のものをようやく見つけて差し出してきた。

ハングル文字が並ぶ中に〝高東春〟の文字があった。

「ドンチュンだけどドンパルとも読める。頭が悪いって意味なの」

反応に困ることを朗らかに言って、がははと笑った。

彼の弁明によると、約束を完全に忘れたわけではなかったという。

「約束の時間の前に、ここでランチを食べたよ」

供された名物の猪肉が絶品で、酒を呑まねば申し訳ないと思った。

「一杯のつもりが二杯、三杯で……」

宿の部屋にもどり寝てしまった、とのこと。

はるばる東京からやって来た相手に、相当ふざけた言い草である。となりの雪菜も激怒必至だと横顔をうかがうと、

「オッサン、これマジでうめえな！」

ギャルはキムチ鍋に夢中だった。

オッサンの方もがははと笑い、食べろ食べろと副菜の皿を押しつけている。この二人、なぜか波長が合うらしい。

「アガシは夏俊のヨニンなのかい？」

アガシは〝お嬢さん〟の意味だったはず。ヨニンは何だろう。

「〝恋人〟の意味よ」

ばかっと雪菜が顔を赤らめる。キムチのせいだけではなさそうだ。

「ワタシのヨニン、順子サンは元気ですか？」

高氏に問われ、僕は口をつぐむ。この人に会いに来たのは、母のことを話すためでもあった。喪失の心の傷は癒えてはいない。それでも伝えねばならない。

「母は、寺尾順子は亡くなりました」

二十日前、仕事先の現場の事故で。

高氏の顔が駄々っ子のようにゆがんだ。言葉を探すように唇を震わせる。身体をわななかせる。

「アイゴー！」

涙と声を一遍にはき出した。

室内の誰もが一瞬で黙り込むほどの大声だった。


その夜は、川沿いにあるコテージに泊まることになった。

高氏はもっと話したがったけれど、宿の部屋に空きがなかった。ほかの数軒の宿も客が多く、町の中心から離れたコテージで、ようやく落ち着くことができた。

「けっこうイイ感じじゃね？」

温泉からもどったばかりの雪菜は機嫌がいい。

この宿を選んで正解だった。バイクで数分走れば温泉やレストランがある。日本家屋風の建物はそれぞれが独立していて、ほかの客と顔を合わすこともない。

思いがけず浸ることになった静閑な時間の中、僕と雪菜は裡に秘めた気持ちを晒すことになった。

「もっと話せばよかったのに」

やや遠慮がちに彼女は切り出す。

高氏とは、最低限の話をしただけで別れていた。

憎んではいないけれど、いい感情も持てない。あの人を父と呼ぶ気にはなれなかった。

「話せるうちに、気持ちは伝えたほうがいいって」

雪菜の兄は交通事故で亡くなっていた。彼女の愛車は、兄の形見だという。

「ひょっとして、僕と君の兄さんって似てたりするの？」

正反対だな、とギャルはせせら笑った。

「アニキは背が高くて、イケメンで、頭もよかったでーす」

「僕のこと、さらりとディスるのやめてくれるかな」

期待の星だった兄の死を契機に、里村家はばらばらになった。一つ屋根の下、一緒にいるだけの家族。ほとんど会話もないという。

「だからさ、ナッツとお母さんの関係、いいなって思ってた」

たまに仕事が早く終わると、母はピザ屋に顔を出すことがあった。

僕のバイトが終わるのを待って、一緒に帰るのだ。マザコンの誇りは甘んじて受けるが、自分なりの小さな親孝行のつもりだった。

「オッサンとも、あんな関係になってほしい。あたしはそう思うよ」

返す言葉が見つからず、窓の向こうの山並みに目をやる。黒い稜線が、僕をにらんでいるかのようだった。

唐突に携帯電話が静寂を裂いた。

高氏からの着信だった。


師走祭りは美郷町の伝統行事で、一月下旬の週末に催されている。

僕と雪菜が町を訪れたのが、たまたまこの時期だった。だから神社や宿に人が多かったのだ。

禎嘉王は美郷町の神門神社に、福智王は木城町の比木神社に祀られている。年に一度、氏子が王子のご神体を担ぎ、父王が待つ美郷町へ赴くのが祭りの趣旨のようだ。

「マジですげえ。戦みたいだな！」

祭り見物に誘ってくれた高氏のとなりで、雪菜が興奮を隠せずに声を上げた。

神門神社から東へ三キロ。国道沿いの水田の一角にあるのが、禎嘉王の墓だと伝えられる古墳だ。比木と神門の氏子一行は、この場での催事を終え、ちょうど出発するところだった。年に一度の再会のため、ご神体が運ばれていく。

白煙が旧暦の師走の空を覆っている。田の中に設けられた篝火は、百済の父子が追っ手をかわすため、野に火を放ったことにちなんだものだという。雪菜の言葉通り、当時の苦難が偲ばれた。

かたわらの大男も故国に思いをはせたのだろうか。

「ワタシはね、大邱という街の人なの」

「韓国の南側の街だな」

雪菜がスマホで検索して教えてくれる。

高氏は丁寧に日本語で話してくれた。彼は特殊な技能を持つ職人で、その技術が用いられている建築物の点検のため、二十数年前にこの地を訪れたという。

そこで新米の建築士だった母と出会い、結ばれて、僕が誕生した。

「自分の子どもだって認めたかった。でも、順子サンは許してくれなかったの」

どうしてだよ、と雪菜が憤りの声。

「ワタシは、韓国に妻と娘がいたから」

大きな身体を不器用に折って、深々と頭を下げた。

「だからアナタの名前だけは、ワタシがつけさせてもらったの」

夏俊と書いて、韓国語ではハジュン。

「頭のいい、優秀な男という意味よ」

この町に来て、あなたに会えてよかった。僕は素直に感謝を口にしていた。

故国を追われ、異国の地でも離れて暮らすことになった父と子。彼らはどれほど寂しい思いに耐えたのだろう。

それに比べれば、自分の根っこに関わる悩みなど些細なことに感じられていた。

最後に、と高さんは大きな目をくるりと回す。

「アナタたちに見せたいものがあるよ」


僕らと高さんの、最後の交歓の日が来た。

彼は大邱に、僕らは東京にもどる。その前に、神門神社に隣接する、西の正倉院を見物することになった。

「ここは順子サンが愛した場所ね」

目の前に立つ荘厳な巨大倉庫は、学生時代に教科書で見たものと一緒だった。奈良の正倉院の原図をもとに、十年もの歳月をかけて建てられたものだそうだ。

内部には百済王にまつわる品が展示されていて、特に目を引いたのは唐花六花鏡という青銅鏡だった。奈良にも同一のものが所蔵されていると説明書きにある。

「都と美郷町をつなぐ鏡ってわけか」

「めっちゃシブいなかっこいいな！」

雪菜も気に入ったのか、六枚の花びらを象った鏡に見入っている。

「けど、なんで六枚なのかな。六花ってどういう意味？」

答える間もなく高さんにせかされ、続いてとなりの百済の館へ。

「ここがワタシの仕事した場所よ」

青、赤、朱色……。建物の華やかで深い色彩が目に沁みた。

丹青という朝鮮固有の技法で、自分はその職人なのだと高さんは胸を張った。美郷町が本場の名工を招いて建てた館で、瓦や敷石も本場のものを取りよせたとのこと。

「すげえな。この館、オッサンが作ったのかよ」

スマホのカメラを駆使する女子高生に、オッサンは肩をすぼめる。

「これは師匠たちの仕事よ。ワタシはまだ見習いだったね」

それでも点検を任されているのだから、腕はたしかなのだろう。指摘すると、その通りよとがははと吠えた。

「故郷を離れて、異国にいても仕事はできるの。心配いらないよ、ケンチャナヨ！」

また、がはは。グローブの手で背中をどやされる。

裡にあった不安が吹っ飛ばされた気がした。僕の心は、冬なのに春が来たように暖かかった。

高台から見下ろす美郷町は、たしかに山間の小さな町だった。

けれど、山の向こうに海がある。海の先には異国がある。そして、国と国を行き来する人の交流がある。

最後に高さんに誘われたのは、彼のもう一つの仕事場。恋人の丘と呼ばれる名所だった。

西の正倉院と川を隔てた先の高台にある東屋。百花亭という名で、その屋根にも丹青の鮮やかな色が配されている。韓国の古都にあるものを模したそうだ。

「宮崎でも雪が降るのな。どうりで寒いわけだよ」

雪菜がぼやきながら肩をよせてくる。低い稜線を覆う雲は鼠色となり、いつの間にか頭上に白いものが舞っていた。

「ワタシは雪が好きよ。夏俊が生まれた日も降っていたから」

高さんは海の向こうで暮らしながら、雪を見るたびに息子のことを思っていたという。だから雪だるまが好きなのだとも。

「夏俊は絆ね。雪の日に生まれた、順子サンとワタシの絆よ」

「オッサン、いいこと言った。めっちゃ感動した！」

ギャルがバチバチと拍手する。

「ありがとうね。記念の鐘を一緒に響かせましょう」

二人が手を取り合い、東屋に設えられた一対の鐘を鳴らす。韓国から贈られたもののようで、ハングル文字が刻まれている。その音は海の彼方まで響いていくようだった。

「これは絆の鐘っていうの。恋人同士を結ぶ鐘よ」

ちょっと待て、と雪菜が顔を曇らせる。

「今のはナシだ。取り消せ」

高さんは、トントンと僕の肩をたたいた。

「もし寂しくなったら、この町に来なさい。もっと寂しくなったら、韓国まで会いに来るといい」

山を越え、海を隔てた異国で暮らす父。僕の根っこは、この人とつながっている。

「でも、ちょっと遠すぎます」

大丈夫、と父は懐から携帯電話を取り出す。古いガラケーだった。

「もう百済の時代じゃない。こういう便利なものもあるからね」

ところで携帯電話を買い換えようと思っている。この古い機種を売れないだろうかともちかけられた。

「この手のものにはマニアがいて、高値がついたりしないかね」

吹き出してしまう。やはり父と母は夫婦で、僕は二人の子どもだ。

そういえば、と雪菜が東屋の美しい絵柄を見上げて首をひねる。

「この屋根も六角形だけど、六花ってどういう意味なんだ？」

「スマホで調べるといい」

「カメラ使いすぎて電池が切れちゃったよ」

僕は屋根の外に手を伸ばす。

「六花っていうのは……」

天色の空から降りてきた結晶が、ふわりと手のひらに収まる。

それはたしかに六角の形をして、白い絆の花を咲かせていた。

優秀賞（日本放送作家協会賞）講評

日本放送作家協会理事長
さらだたまこ

「西の正倉院　みさと文学賞」は、数ある文学賞の中でもユニークな存在として歩んでいます。自治体が主催し、放送メディアと放送文化団体が協力し、受賞作品は書籍化した上で、さらにラジオドラマ化などのいわゆるメディアミックス展開がなされるからです。書籍化は本書であり、第1回は大賞と優秀賞（MRT宮崎放送・日本放送作家協会賞）作品がラジオドラマ化されて令和2年1月11日（土）にオンエアされました。そして優秀賞（審査員特別賞）の中からもう一作が漫画化されることにもなり、近いうちに出版の運びとなります。

そこで第2回は、優秀賞を最初からMRT宮崎放送賞と日本放送作家協会賞に分け、日本放送作家協会賞はさまざまなメディア展開を後押しする賞として位置づけられることになりました。受賞作はいずれも美郷町の魅力を盛り込んだ意欲作であり、中でも最も小説として完成度が高い作品が大賞、ラジオドラマ化に適した作品がMRT宮崎放送賞に選ばれましたが、日本放送作家協会賞は最終選考に残った作品の中からコンテンツとして優れた作品を選ばせていただきました。

優れたコンテンツとは平たく言えば情報の充実度を指します。受賞作「唄をうたひて」は、美郷町出身の歌人・小野葉桜の悲運な人生に光を当てた作品です。美郷の歌人としてあまりにも有名な若山牧水と親交がありながら、事故に遭って断筆に至り、生前は世の中に評価されることもなく埋もれ忘れられたという人生は、歌壇のゴッホと言えましょう。実は第1回の作品集の前書きに小野葉桜や美郷における文壇・歌壇の歴史についての紹介があり、「もしや作者はこれを読んでインスパイアされたのでは?」とも思い、いずれにしても目の付けどころを高く評価した次第です。優れたコンテンツに相応しい情報量に加えて、限られた資料を読み込んで隙間を埋めた創作力にも作者の力量が十二分に発揮された作品でした。

放送作家は単に台本書きではなく、コンテンツを探求し創造し展開することにも長けているとの矜持があります。「唄をうたひて」と出会えたことで、歌壇のゴッホ・小野葉桜の存在と美郷町の魅力、そして「西の正倉院　みさと文学賞」のさらなる進化と、すべてを併せ持つ展開を企画し形にしていくため、早速実行に移します。

優秀賞（日本放送作家協会賞）

「唄をうたひて」

悠井すみれ

新しい元号にもようやく馴染んできた昭和二年の七月初めのある朝のこと、母は岩治に言った。

「岩治さん、今日は具合が良いなら御田の祭りに行ったらどんげね？」

突然の提案に彼が腑に落ちない顔をしているのが分かったのだろう、母はどこか気まずそうにつけ足した。御田祭で泥を浴びると万病に効くというから、と。

実際のところ、岩治の病は労咳や脚気といったいわゆる「病気」ではなく、後遺症と呼ぶべきものだ。昔の事故で強打した脳は、発作のように全身の激痛や眩暈を引き起こして今なお彼を苦しめる。いつ目覚めるか分からない獰猛な獣を、頭の中に飼っているようなものだ。神社の宮田の泥を浴びたところで治る類のものでもないのだろうが――

「分かった、そんげすっかい」

岩治は微笑んで頷くことにした。神仏にも縋りたいという母の思いを無碍にすることはできないというのが理由のひとつ。そしてもうひとつは、弟の家に厄介になって日々を無為に過ごす長男のことが、母も見るに堪えないのだろうと思ったのだ。


祭りが行われる日陰山の宮田までは、弟の米一が付き添ってくれた。折よく晴天とあって、青い空には雲ひとつない。日差しを受けて輝く緑は荒々しいほどに鮮やかで、岩治の目を眩ませる。大丈夫だ、これは発作じゃない。久しぶりに太陽の下を歩いたから、強すぎる明るさと眩しさに目が驚いているだけだ。そう、自分に言い聞かせる。母が言う通り、今日は体調が良いのだから。引き籠っているばかりでは、身体も鈍る一方なのだから。

そう思ってはいても、発作という獣を起こさないよう、一歩一歩を確かめるように踏み出す岩治の歩みは遅かった。遅れがちな兄を振り向いて、米一が笑顔を見せる。

「稲刈りが済んだら東京のナミエさんにも送れば良っちゃが。下の坊たち育ち盛りじゃろ」

御田祭とは、五穀豊穣を願うための神事なのだ。早乙女が田植えをする前に、牛に農具を曳かせ、馬を走らせて代掻きをする。さらにその後、神輿を担いだ男たちが練り歩いて秋の実りを祈願するのだ。泥というのも、鉢巻き姿の乗り手が御す裸馬が威勢よく跳ね上げるものだ。米一の言葉はそれを受けてのことだった。

穀潰しの兄を養うだけでなく、その妻子まで気遣ってくれるのだ。弟に対して、岩治はいくら感謝してもし過ぎるということはないだろう。胸を詰まらせる思いとは裏腹に、彼が声にできるのはごく短く端的な言葉だけだったが。

「いつもすまんね」

「良っちゃが良っちゃが。兄弟じゃろ」

何気なく笑う米一に深く頭を下げて、岩治はまた一歩、足を進めた。額から滴った汗が地に落ちて黒い染みを作る。盛夏の暑さにはまだ早いが、歩くうちに身体はじんわりと温まり、息も少し上がっている。多少歩いただけでこのありさまとは、日ごろ寝てばかりの身が情けないが。とはいえ、俯きがちになってしまうのは疲れのためだけではない。妻と子のことを思うと、昼日中に太陽の光を浴びることなど、彼には許されないと思ってしまうのだ。

妻のナミエが、職を求めて東京に出てもう五年になる。四人の息子たちも母について行った。脳の病に苦しむ父では彼らを食わせてやれないがために。もとから療養のために離れて暮らして長いとはいえ、宮崎の片隅の西郷村と東京はいかにも遠い。岩治は、妻にも息子たちにもそれ以来会っていなかった。手紙や葉書のやり取りも、頻繁にできる訳ではない。岩治の脳裏に浮かぶ妻子の姿は、五年前のままで止まっている。

この歳月で、妻はどれほど窶れて老いただろう。子供らは、健やかに育っているだろうか。上の博と愛は、もう自ら稼ぐことができる年頃だ。だが、父の手柄ではまったくない。下の二人、瑞樹と滋などは父の顔もろくに覚えていまい。妻は、彼らに父のことをどう語って聞かせているだろうか。恨み言を並べられているとしても、彼は何を言える立場でもないのだが。

東京なら、西郷よりも稼げる職はあるだろうと思いたい。それでも、三月には取り付け騒ぎがあったというし、大陸は南京の情勢もきな臭いという。女子供だけの心細い暮らしが、岩治には案じられてならなかった。

宮田には既に水が張られ、土色の水面が初夏の陽に煌めいていた。畔には幟がはためき、牛や馬も集められている。牛の背を赤い旗で飾り、しきりに蹄で地を掻く馬たちを宥めるのは、乗り手を務める白装束の男たちだ。下は十代の少年のような年ごろから、上は壮年の者まで、共通するのは精気に満ちて逞しいというところだ。田を耕すため、泥飛沫をより高く派手に跳ね上げるため、牛も馬も気が強く頑丈なのを選んでいる。生命力に溢れた笑い声やしなやかな四肢は、岩治にはあまりに眩しい。あの中に息子が混ざることがあったかも、などと、埒もない考えが過ぎりそうになるのを、岩治は必死に振り払った。

「おや、小野の先生。今日は出て来なったたっちゃね。お元気そうで何よりじゃ」

と、彼と米一の姿を見て手を振りながら近づいてくる男がいた。彼と同じ年頃の五十がらみの男だ。神輿を迎える神幸行列では、お神酒が振舞われる。それを目当てに集まった、村の住民のひとりだろう。泥を浴びるのを予想してだろう、着慣れた風の着物を着て、手には傘まで持っている。

かつての岩治を知る集落の者は、彼を先生と呼ぶことがある。一体何の先生なのか、彼にもよく分からないのだが。東京で医学を学ぼうとしたことがあったからか、日露戦争に従軍して表彰されたからか。実際に学校で教鞭を執ったり、村で議員を務めたりしたこともあったからか。そのうちのどの意味であろうと、もう過去のことだ。母や郷里が誇りに思ったかもしれない輝かしい気鋭の若者はもういない。脳を患って廃人になり、ひとり朽ちていくだけだ。

「祭り日和じゃね」

「じゃがじゃが、晴れて良がっちゃねえ。ほれ、娘どんの眩しかこつ」

曖昧に笑むことしかできなかった岩治を他所に、米一と男はにこやかに談笑している。男が示す通り、牛馬入れの後の田植えに備えて早乙女たちが畔にたむろして華やかだった。高い笑い声は花が咲くようだし、揃いの紺絣の着物に黄色の帯、赤の襷が目に鮮やかで染みるよう。彼女らもまた、岩治には手が届かない若さを謳歌している。

「先生、ひとつ歌でも詠んだらどんげね」

「もう止めたんじゃよ。下手じゃきい」

男に水を向けられて、しかし岩治はあっさりと首を振って見せた。短歌を多少評価されたことがある、というのも先生と呼ばれる理由の一つなのだろう。しかし、病がいよいよ重くなって断筆して早十数年、彼は三十一文字と戯れてはいない。われ歌を　うたへりけふも　故わかぬ　かなしみどもに　うち追はれつつ、と。自ら詠んだ通り、駆り立てられるように数多の歌を生み出し、雑誌も立ち上げている旧友の若山牧水と彼は違う。岩治の歌才など、病に折られる程度のものだったのだ。

「あたれえねえ、賞ももらっちょったじゃろ」

「まぐれっちゃよ、本になった訳でもなし」

もったいないと男が吐く溜息は、岩治の胸を突き刺していた。発作の痛みにのたうち回りながら、何度歯噛みしたことだろう。病さえなければ、と。東京の文壇で認められる。牧水らと文芸の未来について語り合い、自身の歌集を上梓する。そんな彼の傍らには妻も子もいて、和やかな家庭があって――そんな夢のような情景は、彼の手をすり抜けて靄と消えていった。取り繕った苦笑の陰には、言葉にできない無念さと悔しさ、恨みつらみが黒く渦を巻いている。

「始まったが」

男はまだ何か言いたげだったが、米一が宮田に入り始めた牛たちを指すと、そちらに注意を移したようだった。宮田の脇に設えられた舞台からは、腹に響く太鼓の音が聞こえている。岩治は男と米一に挟まれて、泥を浴びやすい田の淵に足を進めた。歌のことから話が逸れたことに、心の底から安堵しながら。

歌を止めたというのは真実ではない。少なくとも、岩治の心の中においては。今も、目に映る光景を言の葉で切り取ろうと、頭が勝手に考え始めている。風に揺れる——早乙女の——空に映える紅——悍馬の雄——若人が。夏の日差し。鮮やかな緑。祭りに集った人々の熱気と、賑やかな話し声。牛馬の嘶き。故郷の祭りの光景はあまりに美しく愛おしく、心を動かさないでいることなどできはしない。

かつて岩治は、山に分け入る時も海に出かける時も、その時々の情景や思いを歌に起こしたものだ。それは彼にとってごく自然なことだった。言葉の選び方重ね方、ほんの一字の違いによってさえ、描かれる景色や伝える感情はいくらでも変わる。実際の自然の移ろいと同じく繊細で儚く、だからこそ奥深い。

戦場の悲惨も、病の痛みも貧しさの苦しみも、歌があるから耐えられた。歌のことを考えている間は、現実から離れることができたのだ。自分には歌がある。感動を伝えるもの、美しいもの、彼の心を映し出すもの、裡に抱えるにはあまりに重く苦しい感情を切り取ったもの。その時々によって歌の意味は違っただろうが、自らが作り上げる世界があるという事実は彼を魅了し、時に支えや隠れ処ともなったのだろう。岩治は、歌に生かされてきたのだ。

「気張れやー！」

「腰が引けちょるぞ」

周囲から上がった声に岩治が我に返ると、宮田では人と牛とが泥塗れになって田を均していた。祭りのことなど獣は知らないから、太鼓の音や人声に気が立った様子のものもいる。引き手を引きずるような勢いで走るものもいれば、思い切り綱を引かれてもびくともしない頑固者もいる。牛にも人にも、応援や囃し立てる声が掛けられる。そんな祭りの賑やかさは、またも岩治の詩心を疼かせる。

泥飛沫を浴びて悲鳴や歓声を上げる子供らの笑顔。泥の中で四肢を踏みしめる牛の力強さや頑丈さ。風が運ぶ水と土の香りが、額に滲む汗を冷ましてくれる。厳かな催馬楽と雷鳴のように響く太鼓が合わさって皮膚と鼓膜を震わせる。これを歌に詠むとしたら、どうするだろう。どの角度から、どの場面を切り取るだろう。五感のうちのどの感覚を織り込めば、この場面をより鮮やかに伝えることができるだろう。

ほとんど無意識に初句をひねり出そうとしているのに気付いて、岩治は慌てて自分を戒めた。内心はどうであれ、先ほど男に語ったではないか。彼は歌の道を諦めたのだ。それは、何か新聞なりで表彰されれば、そして金一封でも授与されることがあれば、弟夫婦に対しての面目も立つし、母の顔も晴れるかもしれないけれど。東京の妻子へ、仕送りをすることもできるかもしれないけれど。

今の自分には歌など過ぎた贅沢だと、岩治にはそう思えて仕方ないのだ。
かつて、彼自身が詠んだ歌の幾つかが頭を過ぎる。貧しさが夫婦と親子の仲に罅を入れる暮らしの中で、一家の大黒柱を務めることができない不甲斐なさ、まともに働くことができない儘ならさを吐露したものだ。

柿買へと　せがむ児を叱り　追ひやりて　針箱のすみに　銭さがす妻
吾れ叱れば　妻も子を叱り　暮れがたの　卓にかなしき　顔をならべぬ
むらむらと　込み上げて来る　悔しさに　児を抱き占めて　泣いて居る妻
小鳥飼ふさへ　いまはうとまし　妻も子も　この鳥のごと　放ちやらむか

家長の重責に押し潰されそうになった時、先の見えない恐怖や焦りに我を忘れそうになった時、歌は多分正気を保つために必要だったのだ。歌は、逃げ場でもあったから。歌は、かつての栄光のよすがでもあったから。けれど、歌を形にして書き留める間、岩治は確かに家族から目を離していた。父でも夫でもなく、傍観者であり観察者だった。父を慕う子らにも働く妻にも背を向けて、ひとり創作の世界に没頭しようとしていた。遥かな距離で妻子と分かたれた今となっては、そうして歌に向き合った時間を家族のために費やしていれば、と切に思う。だから、彼は自分自身が許せない。再び歌を詠むことが、許されてはならないと思う。万が一、賞をもらうようなことがあったとしても、東京の妻子は今さら何を、と思うことだろう。

折よく頬に跳ねた泥が、滲みかけた涙をごまかしてくれた。岩治は拳で乱暴に顔を擦って汚れを広げる。大の男が涙ぐんでいるところなど、誰にも見られたくはなかった。牛だけでなく、裸の馬に乗った若者たちも宮田を駆け回り、泥を跳ね上げては悲鳴と歓声を沸かせているところだ。そうこうするうちに、日陰山の中腹の神社からは神輿も到着するだろう。気にするまでもなく、この晴れの日の高揚の中で、岩治に目を留める者などいないだろうが。

牧水が歌ったように、生涯を歌に捧げることができたらどれだけ良かっただろう。それだけの心や金銭の余裕が、健康な心身があったなら。それも望めないのなら――彼の命など、とうの昔に潰えていれば良かったのだ。岩治は密かにそう考えている。銃弾飛び交う大陸の戦地でも、岩治をいまだに苦しめるあの事故でも良かっただろうに。そうだ、彼は戦地で歌いながら死んだ者を見た。

首山堡で　脳を撃たれ　病院に来て　唄うたひつつ　死にゆきにけり

瀕死の重傷を負った兵士を前に彼は無力で、後になって詠んだ歌を書き留めることしかできなかった。あの時も、岩治は歌に縋ったのだ。色を失っていく兵士の唇が紡いでいたのは無論、短歌ではなかった。故郷の民謡とも流行り歌ともつかない、息も絶え絶えのか細い調べに過ぎなかったが。あの時死ぬのは彼であるべきだった。それなら、命の灯が消えんとするその瞬間まで、苦痛も恐怖も無念さも、歌に残して逝けただろうに。唄うたひつつ——歌人として生涯を遂げたと言えただろうし、ナミエだってもっと良い男と添えたかもしれないのに。

「ありゃ、落ちてしもた」

深みに落ちるように過去の記憶をたどっていた岩治の意識は、すぐ傍から聞こえた米一の声によって引き戻された。弟の呟きは、どっと沸いた笑い声にかき消される。宮田の中では、裸馬を御するのに失敗した若者が、ひときわ大きな飛沫を上げて泥水に落ちたところだった。

それだけなら、特段珍しいことではない。馬に振り落とされるのでなくても、均衡を取るのを諦めて自ら泥に飛び込む者だっているくらいだ。傘で泥を避けながら、岩治の隣では男が指さして笑っている。完全に防ぎきれていないのはご愛嬌というものだろう。御田祭りで泥を浴びれば無病息災のご利益がある。参加していながら着物を汚さないままでいるのは、むしろ無作法だろうから。だが——

「危ね、避けんか！」

誰かの叫びを聞きながら、岩治は立ち上がっていた。急な動きに、病を抱えた脳が揺れて眩暈と吐き気を催させる。よろめき足を踏ん張ったところに、周囲の悲鳴とどよめきが耳を刺した。落馬した若者が泥を掻いて立ち上がろうとしているところに、別の馬が勢いよく突っ込んでいったのだ。その背にはまだ乗り手がいるが、馬を操ることができていない。乗り手の目と口が驚きと恐怖に大きく開いているのが、岩治のいる場所からもはっきりと見えた。人の目には見える一瞬後の惨劇も、馬には分からないのだろう。強靭な四肢は、泥中にもがく若者を意に介さずに駆け抜ける。起き上がりかけていた若者の身体が、馬の巨体にはねられてまた泥に沈んだ。

「えれこっちゃあ」

「大丈夫か⁉」

騒ぎは、舞台からも見えたのだろうか。太鼓の音が止んだ。けれど岩治の耳元ではどくどくという脈打つ音がうるさいほどに聞こえている。頭に上った血は熱く鼓動は早く、彼の視界を狭め、息を荒くさせる。馬の蹄が、若者の頭を掠めたように見えたのだ。二十年近く前の、事故の記憶が蘇る。彼は、夜道を人力車に乗っていたところを地面に投げ出されて頭を強く打ったのだ。脳は――危ないのだ。命に係わる器官であるのはもちろん、たとえ命を永らえたとしても、重篤な障碍が残る恐れがある。岩治自身のように。

「はよ、助けんと！　溺るっぞ！」

落馬したのは、彼が事故に遭った時よりもなお若い青年に見えた。彼の上の息子と同じくらいの。若い命が失われるのも、無限のはずの未来が閉ざされるのも、いずれも怖い。二度と見たくないしあってはならない。その思いに駆られて叫ぶと、岩治自身が殴られたかのように頭が鈍く疼いた。朝は出歩けるくらいに体調が良かったとはいえ、ガタの来た身体が一日持ってくれるかどうかは、彼にも分からない。

滅多に出さない大声は脳に響き、発作の痛みが今にも呼び起こされそうで岩治の汗は冷える。だが、彼が声を上げた甲斐あってか、宮田を囲んでいた者たちの何人かが我に返ったように靴や下駄を脱いで泥の中に入っていった。乗り手たちも、各々の馬を宥め、一旦田の隅の方へ導き始めている。落馬した若者は、うつ伏せになって水に顔を漬けていた姿からすぐに助け起こされた。

全身を泥の色に染めた若者は、なぜか岩治のいる畔に運ばれてきた。彼に任せるべきだと、何となく判断されたのかもしれない。日露戦争に看護兵として従軍したのは、もう二十年以上昔のことだ。かつての記憶を咄嗟に呼び起こせるか、呼び起こせたとして役に立つのか。自信などさっぱりなかったが、岩治は懸命に真っ直ぐに立とうと自らの足を奮い立たせた。不安そうな人々の目が、彼に注がれていると分かったから。米一がそっと彼に寄り添って、杖の代わりを務めてくれる。

「先生、どんげね？　助かるじゃろか？」

「……息しちょるか見てくれ。首は曲げちゃいけん」

また、先生だ。いち早く声を上げたことで医者だとでも思われたのか。こんな草臥れた着物の医者などいないだろうに。俺は違う、と怖気た心が言いそうになるのを呑み込んで、岩治は戦場で看取った数多の兵の死に様を脳裏に思い浮かべようとした。死と隣り合わせの日々を過ごすうちに、助かる者と助からない者は何となく見分けられるようになっていたものだ。その勘は、まだ生きているだろうか。この若者は、どうだろうか。

「頭、切っただけならまだ良かんじゃけんど」

頭から泥を被って目鼻の見分けもつかない姿だった青年は、清水で髪や額を拭われて日焼けした顔を現しつつあった。額に切ったような傷跡を見て、岩治は呟く。馬の蹄が皮膚の表面を抉っただけなら、脳を損なうような衝撃を与えてはいないなら望みはある。真っ赤な血は見た目には深手に見えるけど、頭の傷は目に見えないものの方が恐ろしい場合も多々あるのだ。

米一の手を借りながら、岩治は青年の傍らに膝を突いた。耳の奥に、獣の唸り声を思わせる痛みが目覚め始める気配がしていた。叫んだからか、動いたからか、戦場を思い出したからか。朝方体調が良かったのは幻のように、岩治の心身は発作の前兆を感じて怯えている。いつ何時、身体を丸めて耐えるしかない痛みが牙を剥くか分からない。祭りの日に大勢の人が集まった只中で、足を捥がれた虫のように転がり蠢く醜態は見せたくない。彼にも羞恥心というものは残っている。でも――怪我をした者を前に手をこまねいていることこそ恥ずべきことだ、とも強く思う。どうせ残り滓のような人間なのだ。誰かを助けられる機会がまた巡ってきたというなら喜んで掴まなければならない。

「聞こえちょるか？　ここがどっか分かるか」

「御田の祭りで――俺ぁ、落ちたんか？」

青年の顔の上で手を翳すと、しきりに瞬きをして影を追う様子が窺えた。咳込んで水を吐きながら呟くのも、ぼんやりとした様子ではあるが意味のある言葉だった。記憶の混濁もないようだし、これならひとまずは大事ないと考えても良いかもしれない。

「じゃあよ。じゃけんど世話ねえ、大したこたあ――」

心配ない、大したことはない、と。確信を持った診断というよりは、青年と周囲の者たちを安心させるために、岩治は続けようとした。集まった顔を見渡して、ぎこちなくも笑おうと。でも、できなかった。

岩治の脳に巣くう獣が、目覚めたのだ。脳髄に、直に牙を立てられたかのような痛み。それが、頭だけではなく全身に及ぶ。視界が歪み、彼を見上げる青年の驚きの顔が、ぼやける。堪らず地に頽れた岩治の耳に、米一の叫びが刺さった。

「こん人、病気があっちゃが。どっかで休ませんといかん」

彼を案じる声でさえも、岩治の脳を揺らし、痛みと吐き気を覚えさせる。四方から手が伸びるのは、彼を助け支えようとしてくれているのだろうか。だが、それも幽鬼が黄泉路に誘う手のように不気味に歪んで見える。避けようと手を振り回すと、その動きがまた新たな痛みと眩暈を誘う。悲鳴のような呻きのような唸り声が、岩治自身の口から洩れる。

自らが押し潰した草の香りを鼻に感じながら、岩治の意識は黒に呑まれた。

目蓋の裏に、太陽の眩さを感じた。手指を動かすと、草の瑞々しさと土の湿り気が感じられる。肌には、日差しの温もりと、それを冷ますそよ風が。戸外にいる。御田祭りで発作に見舞われたのだった。どこかに横たえられているのだろうか。

そうと認識してからも、岩治は目を開ける覚悟をするまでに数呼吸かかった。毎朝同じ逡巡を味わうのだが、目に光を入れるのも身体を起こすのも、彼にとっては賭けなのだ。どれだけの痛みに見舞われるのか、という。覚醒する度に脳の獣の機嫌を窺わなければならないこと、自身の身体の障害を思い知らされること。いずれも彼の心を擦り減らし、目覚めを怯えさせるのだ。

だが――たとえそう願っていても――、永遠に目を閉じていることはできないのだ。恐る恐る、そして薄く目を開くと、中天にかかった太陽が岩治の目を射った。慌てて身体ごと横を向くが、幸いに頭痛の程度は比較的ましな、耐えられる程度のものだった。深く安堵の息を吐いたところに、声が降ってくる。弟の、米一の声だ。

「目、覚めて良がった。具合、どんげね?」

「ああ……世話ねえよ」

ゆっくりゆっくりと岩治が身を起こすと、彼と米一がいるのは宮田の淵の中でも、少し小高くなった場所だった。見下ろす宮田の中では、既に早乙女たちが列を作って田植えにかかっている。岩治が昏倒している間に、牛馬入れも神輿担ぎも終わったらしい。太鼓の音に合わせて少しずつ進む早乙女の列の、紺と赤と黄の彩が目覚めたばかりの岩治の目には眩しい。

しきりに瞬きしながら、岩治はすまなかった、と言おうとした。折角祭りに連れ出してくれたのに、結局、弟を彼に付き切りにさせてしまったのだから。――だが、米一は彼に何も言わせず、手に素焼きのかわらけを押し付けてきた。続けてお神酒徳利が傾けられると、酒の甘い香りがぷんと漂う。

「お礼げな。呑みない」

「何もしちょらんよ」

「そげんことなかよ。皆、言っちょった。さすが先生じゃと」

本来は、お神酒は祭りが終わった後にいただくものだ。神事が終わっていないというのに、しかも徳利一本を丸々もらってしまうなど畏れ多い。手と首を振って固辞しようにも、酒は既に注がれているし、米一はにこにこと笑っている。仕方なく口をつけると、舌に感じる酒精に、眩暈とは違うくらりとした感覚がある。酒を呑むのは久しぶりのことだった。弟に厄介になる身で、そのような贅沢を望む気にはなれないから。

「先生じゃなかよ……」

噛むように、酒を味わう。そんな岩治の胸にどこからか浮かび上がるのは、また、歌だ。それほどに　うまきかとひとの　問ひたらば　何と答へむ　この酒の味。牧水の歌だ。あの友人らしい、大らかで惚けた風の漂う歌。共に盃を傾けた夜の、今となってはなんと遠いことだろう。そして、岩治も酒について詠んだことがあるのを思い出す。

一合の　二合の酒を　のむといへば　一大事のごと　諫むる妻かな

酒精だけでなく、訳の分からない衝動が岩治の胸を焦がした。目の奥にも焼けるような熱を感じて、それを押しとどめるためにお神酒をひと息に干す。酒精と共に、涙を呑み下す。何をしても何を見ても、歌がつきまとってくる。それに家族の面影が、脳を食む獣の牙以上の痛みを伴って。もう届かない、とうに失ったものだからこそ、一層眩しく愛しく思える。後悔しても遅いというのに、無数のこうしていたら、ああだったら、が岩治の胸を締め付けるのだ。

「先生ちゃよ。ほれ、さっきの若いのも手え振っちょる」

米一は、俯く兄の顔を見ない振りをしてくれている。弟が指す方にちらりと目を向ければ、少し離れたところに足を投げ出して座っているのは、先ほど宮田に落ちた若者だった。額に巻いた包帯でそうと知れる。心身共に気力が漲っているだろうに、安静を強いられるのは苦痛だろうか。でも、岩治に向けて会釈する若者の、屈託のない笑顔を見れば、やはり大事はなさそうだ、と思えた。抜け殻のような岩治にも、何かを――他者を助けることができたなら、良かったのだろうか。母の目を逃れるように、薄暗い家の中から這い出た甲斐はあったのだろうか。

「何もしちょらんち……」

呟く隙に、かわらけにまたお神酒が注がれた。米一からの慰めのような励ましのようなその一杯を、またぐいと干す。

岩治がいようといまいと、若者は助けられていたはずだ。医者も呼ばれただろうし、適切な手当ても施されただろう。岩治が感謝される謂れはないと、やはり思う。少しばかりの満足を得たところで、彼の病も貧しさも変わらない。妻子と彼とを隔てる距離も。母にも弟夫婦にも、合わせる顔がないままだ。

ただ――今日も明日も命が続くことへの絶望は、ほんのわずか、和らいだかもしれない。名前も知らない若者に笑顔を向けられ、手を振られるこの瞬間だけは。家族の重荷でしかない、何も生まず何も為さない身体の癖に、岩治の心臓はまだ止まってくれない。自死が頭を過ぎることもあるけれど、それに踏み切る勇気もないうちに、年月が過ぎ去っている。

なのに、歌は彼の頭に響き続けているのだ。自らに禁じたつもりなのに、岩治の歌も、牧水や、他の友人知人、紙面だけで知る者たちの歌も。かつて生み出された歌、岩治の中で新たに生まれようと、殻を破ろうと暴れる歌も。この世はあまりにも美しく驚きに満ちていて、儘ならないことがあまりに多くて、歌わずにはいられない。抜け殻の身の上だと自嘲しても、早乙女の着物は眩しく、若者の笑顔は明るく、木々の緑も水の香も芳しい。

唄うたひつつ　死にゆきにけり

かつて歌ったようになるのだろう。三十一文字の形にはならずとも、声に出さず文字に起こさず、誰に教えることはなくても。故郷で見聞きするものの全ては歌になって岩治の中に響き続ける。彼は、歌い続ける。きっと、心臓がとうとう動きを止めるその時まで。常ならば気が滅入る想像も、今日に限っては少しだけ楽しい。

太鼓の規則正しい音が響いている。早乙女の笑いさざめく気配が聞こえてくる。かわらけを置き、頭をぐるりと巡らせると、空の青と山の緑があまりに鮮やかで岩治の目に涙を滲ませる。潤んだ視界に歪みぼやける空も山も、岩治を包み込むようだった。

＊＊＊

小野葉桜は、一八七九年生まれの宮崎県西郷村（現在の美郷町）出身の歌人である。本名は岩治。出身地が近い若山牧水とも交流があり、将来を嘱望される歌人だった。しかし、三〇歳の時に人力車の事故により頭部を強打し、生涯後遺症に苦しめられる。自ら「耳鳴りの　脳にひびきて　後頭部に　唸るこゑあり　獣にやあらむ」と詠んだ後遺症の痛みと苦しみは彼から職や家族を奪い、三四歳にして断筆に至らしめた。一九四二年、太平洋戦争の只中に六三歳で死去するまでの後半生はほとんど記録に残っていない。ただ、弟の米一宅で手厚い介護を受けていたという。

病床で詠んだものも含め、葉桜の歌はノートに記され、上京した家族に託された。三男瑞樹が東京大空襲の中で守り通した遺品のノートをもとに、葉桜の歌集「悲しき矛盾」が発行されたのは、彼の死後半世紀近く経った一九八七年のことである。

優秀賞（MRT宮崎放送賞）講評

宮崎放送 ラジオ・ディレクター
小倉哲

ラジオという音声メディアには、テレビや映画といった映像メディアには無い特徴があります。それは、制作者の手によって創られたものが受け手に届くことで初めて完成するメディアだということです。放送される番組を聴いたリスナーが、言葉や音楽、そして効果音を頼りに、積極的にその世界を作り上げていく。映像を伴わないことが情報を伝達するうえでハンディキャップとして捉えられがちなラジオですが、実は「映像が無い」ということこそ最大の強みなのです。

なかでもラジオドラマはその強みを最も活かせるジャンル。制作者にとっては、映像で再現するのが難しい設定であっても、容易にそのハードルを越えることができる表現手段、まさしく腕の見せ処です。そしてリスナーにとっては、役者の演技や迫真の効果音を想像力で繋ぎながら、物語の世界を描く自由さが醍醐味です。

『第1回 西の正倉院 みさと文学賞』受賞作品のラジオドラマ化は、まさにそうした音声メディアならではの面白さを追求する企画になりました。また、読まれることを前提に書かれた文学作品が、脚色や演出を経ることで新しい物語への展開となりました。

今回、新たに設けられたＭＲＴ宮崎放送賞も、ドラマ化することで新しい物語が生まれる可能性を持った作品という基準で選ばれています。候補となった作品はどれも想像力をかき立てられるもので、一つの作品に絞るのは大変に難しい仕事でした。

受賞作「百済の料理人」は、異郷の地にたどり着いた少女が、料理の習得を通じて様々な困難を乗り越えていく成長の物語。敢えて王族たちではなく宮廷の厨房係を主人公にするというユニークな設定、食べるという命の根源を司る行為が周囲との垣根を払っていくストーリーの面白さに高い評価が集まりました。

特に目を惹いたのは、あくまで主人公の少女・磯の視点で世界を描き、その視界に入らないことについては書かないという潔い描写です。百済伝説の主人公であるはずの王族たちは姿を現さず、物語の舞台となる村の名前さえ示されていません。読者は物語の背景を思い描きながら読み進めるうちに、いつの間にかその世界に入り込んでいることに気付かされるでしょう。受け手が想像力を働かせる余白の存在に、文学作品としての味わいの深さを感じつつ、ドラマ化されることで生まれる新しい展開を期待せずにはいられません。この素晴らしい作品を原作にドラマを手がけることが出来ればと、いまから楽しみにしています。

優秀賞（ＭＲＴ宮崎放送賞）

「百済の料理人」

みよし麻

「お前は確か宮廷の厨房係だったな。明日からみんなの食事を作れ。分らないことがあったら、この爺さんからいろいろ聞けばいい」

と、百済人の団長が痩せがれた老爺を連れて磯にそう言った時、磯は鮎の塩焼きにむしゃぶりついていた。敵に追い立てられ、故国、百済を経って20日ほど、海をこえて、日向の国に到着して以来の久しぶりのまともな食事だった。周りの百済人も鮎を頭ごとガツガツと喉を鳴らして食べている。団長がなぜここに仮の住まいを作ろうと決めたのかは分からない。だけどこの村が磯達を歓迎していないのはよく分かった。げんに鮎をふるまってくれた村長も村の女達も渋面だ。

鮎もいやいや提供してくれたのに違いない。

こんな所で突然、明日から食事係だといわれても、一体何をどう作ればいいのか。磯は鮎の背骨を丁寧に口の中で舐めしごいた。何しろ宮廷でも言われるがまま菜を切っていただけなのだ。ここでは一体何が採れて、どんな風に食べるのか。

磯は百済の海辺の町の商人の家に生まれた。

彼女が十三歳になった時、宮使いのつてがあり、親子ともども喜びいさんで試験に行ったが、磯は器量も十人並みで、針仕事も歌謡音曲も得意ではなかった。当然、花形の踊り子に加えられることはなく、与えられたのは地味な宮廷の厨房係。海辺の町からやって来たということで〝磯〟と名付けられ、毎日魚の鱗まみれになって働いた。いつも生臭い、まったく華やかさとは縁のない職場だったが、夏は甜瓜を、冬は栗のおやつを時々たべさせてもらって、今から思えば、穏やかないい時間を過ごさせてもらったなと思う。そしてその後はじまった戦で宮廷の踊り子達は真っ先に敵兵の標的になり、痛ましい最期をとげた者もいることを磯は知って、自分は幸運だったのかもしれないとも思った。

磯が思いを巡らせていると、先ほどの痩せがれた老爺がやって来て、ついて来いと手招きする。彼の後について村をつっきり、彼の家らしい茅で葺いた掘立小屋に案内された。

小屋の中は炉があり、天井から干し魚や乾いた菜がつるされていた。薄暗い部屋のはじの方には大小様々な蓋つきの壺が置かれ、生臭いような、すえた複雑な匂いがしている。

部屋の中央にひかれた茅の敷物の上に老婆が一人、ぽかんとこちらを見ていた。とても太っている。敷物の上で彼女の着物が広がり、温かい空気が彼女の周りにふんわりと漂っていた。老爺に老婆が何か二言、三言たずね、それに言葉少なに老爺が答えると、老婆は納得したようにうなずき、磯を見てにっこりとほほ笑んだ。

この日から磯とおじいさん、おばあさんの三人の共同生活は始まった。

翌日から磯はおじいさんとおばあさんと一緒に山にはいり、仲間の食事の為に名前の知らない菜をつみ、川辺で鮎の腹に竹串を刺した。夕刻が近づき、磯は大鍋で山から摘んできた菜と稗と粟と少しの米を混ぜて粥を作った。塩を少しいれて味を調えたつもりだったが、あまり美味しくなかったらしい。皆、焚火周りにぐったりと座り込み、無言で猫背になって粥をすすっていた。流浪の生活も長く続いてる上に、ここは百済よりずっと暑く、少し動くだけで滝のような汗をかく。昼間に山に入り、建材用の木を伐採して男達は疲れ果てているのだ。

「…厨房係っていっても、しょせん雑仕女だからな」

磯はあからさまな言葉を背中で聞いて、深くため息をついた。


翌日も燃えるような太陽がのぼり、磯は山でおじいさんに言われるがまま昨日と同じ菜を摘んだ。菜を摘みながら、おじいさんがふいに同じ言葉を何度か呟いた。たぶん、この菜の名前を言っているのだろう。磯も真似て発音をしてみた。おじさんが、ちょっと笑ってくれたような気がした。


夕刻がまた近づいて、昨日と全く同じ粥を磯は準備していた。仲間達はきっとがっかりするのだろう。昨日と同じでたいして美味くない、と。でも仕方がない、私にはこれしかできないのだから。

磯が大鍋でぐつぐつと稗や粟を煮込んでいると、向こうからおばあさんが両手に小さな壺を二つ持ってよろよろと歩いてくるのが見えた。磯が歩み寄り、彼女の体を支えると、おばあさんは手振りでこれを鍋にいれてみろと伝えてきた。

一つは塩、もう一つはよく分からない茶色の液体で、磯は試しに指先で少しなめてみた。どことなく生臭く、クセのある味ではあるが、美味しい。磯は昨日と同じぐらいの塩と、その茶色い液体を大鍋に入れてかき混ぜ、味見した。味がぐっとひきしまり、菜の青臭さが引き立って、昨日のよりずっと美味しくなっていた。

その日の晩、仲間達は昨日と違って首を伸ばし、粥をうまい、うまい、と何度も言った。

焚火の火ははぜ、鮎の皮が焼ける香ばしい香がたちこめている。

「ここは暑いから、うちの国みたいな分厚い、塗りこめた壁はいらないんじゃないか」

「そうだな、手間もはぶけていい」

いつまでも和やかな話声が続き、磯は嬉しかった。


秋になり、ここの山も百済と同じようにところどころ赤や黄色に染まりはじめた頃、磯はあの茶色い液体が何なのか分かった。鮎の魚醬なのだ。鮎を内臓ごと細かくすりつぶした物に塩をいれ、壺の中で一冬寝かせるとできるらしい。おじいさんが秋にしこんだ壺は時々、ぶくぶくと小さな気泡を出しながら、なにかをおじいさんにささやき、それを聞いたおじいさんがかき混ぜ、時には難しい顔をして壺の置き場を変えていた。

おじいさんは醬を作るのが上手いらしく、大小様々な壺に鮎以外にも大豆や肉、いろんな食べ物が漬けられていて、複雑な匂いになって部屋の中にこもっていた。

さすがに磯一人では無理だと思ったのか、おばあさんは磯と一緒に百済の仲間達の食事を毎日、丁寧に作ってくれた。おばあさんの肉厚なあたたかい手から生まれる物はどれも美味しく、百済の仲間達から歓迎された。

　磯もおばあさんから調理の仕方を教えてもらい、秋が深まる頃にはとちの実と山芋を茹でつぶして、焼き団子にしたり、山で採ってきたきのこのスープを作った。宮廷にいる時には、味付けは男の料理長の仕事で、磯はただひたすら菜を切っているだけだったが、自分が作ったものを美味しいと言ってくれる人がいる事はささやかだけれども、とても幸せな事だと思った。


　ある日、磯が山から帰ってくると、村の女が山でとれた栗を持ってきてくれたらしい。

　おばあさんがにこにこと、あったかい手にいっぱいに黄色の栗の実を磯に渡してくれた。

「むいといたよ、食べなさい」

「ありがとう！」

　磯は嬉しくて、すぐに一個栗を口の中にいれた。

　甘い、美味しい、百済の栗と変わらない。そう思ったとたんに突然、磯の鼻の奥がつーんとし、おかしなぐらいにボロボロと涙が落ちてきてとまらなくなった。

　海辺の近くの実家。

　父、母、兄弟達。

　みんな無事だろうか、いつかまた会える日がやって来るだろうか。思い起こせば宮廷をみんなで脱出してこれまで、あまりにもいろんな事がめまぐるしくおきて、磯には泣く暇すらなかった。

おばあさんが磯の横に立ち、背中をなでた。彼女の手の温かさが、ますます磯の心を溶かした。

気が付くと、おじいさんも出口の所に立って磯を見つめている。

もう、泣いてもいいのだ。ここは泣いてもいい所なのだ。

磯は栗の実を手にいっぱい握りしめつづけながら泣き続けた。


冬になった。時々雪がふり、山で菜はとれなくなったが、百済と違ってここの土は冬でも暖かで湿っている。

百済人達の家はほとんど出来上がって、仲間達は各々、つつましいながら家を持つことができた。家の数だけかまどができ、もう河原で大人数の料理を磯が支度することもない。磯は今でもおじいさんの家に住みつづけていて、今は仲間の女達におばあさんから教えてもらったこの地のおかずの作り方を教えてあげている。最初こそ、隔たりがあった村人と百済人の関係もじょじょにゆるみ、今や挨拶をし、収穫を分け合う仲になった。村の女達から磯もずいぶんとこの国の言葉を教えてもらい、そして最近では、おじいさんに教えてもらいながら壺の声も聞くようになった。

いろんな事はいい方に向かいつつあるものの、栗を握りしめ、泣いたあの日から磯の胸の中には悲しみが住みついたままだ。でも悲しみは隠して生きるより一緒に生きる方がずっと楽だ。

毎日、磯は壺をさすりながら祈る。

美味しく、美味しく、できますように。

故国の家族も幸せでいますように。

来た時こそ、奇妙な匂いだと思ったこの家の生臭くすえた匂いも、もはや磯にとっては心落ち着くものになっている。

冬がもっとも厳しくなった頃、突然、おばあさんが起きてこなくなった。顔色が悪く、ほとんど物を食べない。おじいさんも磯も心配して、いろいろ手をつくしたが、おばあさんの様子は悪くなる一方だった。

噂を聞いて、村人が青菜と仕留めたばかりの鴨を持ってきてくれた。おじいさんが鴨の毛をむしり、肉を小さく刻んで、磯が肉と血と水を鍋にいれて煮込んだ。

「鴨はね、血が美味しいんだよ」

前、おばあさんがそう教えてくれた。

磯は灰汁を何度も丁寧にかき捨てて、できるだけ澄んだスープをとり、豆醬と塩で味を調え、青菜を入れて肉臭さをとった。できあがったスープを椀にとり、おじいさんがおばあさんの背中を支え、磯がおばあさんの口元に椀をもっていった。

おばあさんはスープを一口すすり、

「美味しいね」

と微笑みながらつぶやいた。

「いいスープを作れるようになったんだね」

おばあさんは磯の手をとり、愛おしそうにさすった。おばあさんのまつ毛が優しく、しばたいていた。その日の明け方、磯とおじいさんに手を取ってもらいながら、おばあさんは静かに息を引き取った。

おばあさんの棺は美しい布をかけられ、風でうねる乾いた原っぱを切るように進んでいった。それは磯にこの村に到着するまでの海原を思い起させた。

儀式に磯はみんなに乞われ、おじいさんと一緒に家族用の白い麻の衣を着て参列した。かつておばあさんに食事を作ってもらっていた百済の仲間達も葬列に加わり、長い、長い野辺送りの行列が続いた。

おばあさんがいなくなった家はただの暗い、穴ぐらになり、磯もおじいさんも、ただうつむいていた。冬の朝は暗く、夕方もまた早い。何度か短い昼間が通り過ぎた後、おじいさんがふらつきながら立ち上がり、久しぶりに壺をさすり、蓋を開けた。磯も立ち上がり、おじいさんと壺の声を久しぶりに聞いた。二人がただ座りこんでいた時間にも壺の中は育っていたらしい。

おじいさんが壺の中身を指先でとり、なめた。「いい仕上がりだ」

秋に磯とおばあさんが茹でた大豆を叩きつぶしてしこんだ大豆の醤だった。

「喪明けの宴には、うまいもんを出すぞ」

おじいさんの目に久しぶりに光がともった。

それから数日たって、村人が喪明けの宴ようにと狩ったばかりの猪を一頭持ってきてくれた。丸まると大きく太った猪で、これなら村人も百済人もみんな食わせることができると、おじいさんは満足気につぶやいた。

翌日、磯とおじいさんは久しぶりに太陽の光を浴びて河原にでた。猪をさばくためだ。

村人達が猪の足を引っ張り、張り切った腹におじいさんがナイフを突き立て、盛大な血があふれる腹から内臓を掻きだした。河原から絹糸の束のように血の帯が流れだし、青い水の中にたゆうていった。

磯はこの前の戦を思いだし、思わず顔をゆがめたが、赤い筋が続くずっとむこうにある海を思った。そしてその海のむこうにある故国を想い、家族を想い、向こうの世界に行ったおばあさんを想った。

磯は突然叫んだ。

「私は元気でやっています！みんなも幸せにやっていてください！」

大粒の涙をこぼしながら、白い息を吐きながら、百済語でなんどもなんども叫んだ。磯の声が冷えた空気の中、谷間にこだまし、おじいさん達が奇異な顔をしていてもかまわなかった。

何度も涙をぬぐい、叫び続けているうちに磯は悲しみで抜けていた心の底が戻ってきたのを感じた。体が暖かくなっていた。

磯は涙をきっちり拭き、おじいさん達がさばいた猪肉にできあがったばかりの豆醤と細かく刻んだ生姜を入れて、一昼夜漬け込んだ。喪明けの宴の日の朝、磯は漬け込んだ猪肉を大きな葉で一個ずつ包み、かまどにかかった甑の中にそっと重ね入れた。

美味しく、美味しく、できあがりますように。

みんなが幸せになりますように。

湯気をあげる鮮やかな緑の葉をといて、脂ののった猪肉が現れた時のみんなの歓声が聞こえるようだ。仕上げに森で採ってきた橘の果汁を肉にふりかけよう。

磯はかまどの火を見守りながら、微笑んだ。

佳作

「いつかまた」

仲村優果里

1

その男がスマホを失くしたと美郷温泉「霧の里」の受付に言ってきたのは、川田みずほがシフトを終える20分ほど前のことだった。

受付とパーテーション一枚隔てた狭い事務所で、みずほはウインナーのように丸々とした指でせっせとチラシを折っていた。明日、1月26日から始まる『師走祭り』で温泉の宣伝用に配布するからと、社長から仰せつかった仕事だ。

１００枚単位の山をひとつたたみ終えたところで、受付から甲高い声が聞こえてきた。パートで一番の年長者である柳田勝子だ。

「申し訳ありません、脱衣所にも見に行かせましたが、やっぱりないようです」

「そんなはずないんです。よく探してください」

男は訛りのない少し高いトーン。みずほはそのやり取りに耳を澄ます。

「お風呂に入られる前はあったんですか？　宿に置いて来たとか、車の中とか」

「いや、それはない。確かに持ってきたはずなんです」

男は勝子を遮ってぐちぐちと何か続けたが、ちょうど子供連れの団体客が賑やかに入ってきて、話の内容が聞こえなくなる。

ここ「霧の里」は源泉かけ流しが自慢の、町内唯一の入浴施設だ。

いつもの夕方なら常連のお年寄りがまばらにいる程度だが、今日は年に一度の一大イベント前日とあって、県内外からの観光客で混んでいた。

「ちゃんと探してくださいよ。大事なものなんです！」

ふいに大きくなった男の声にはじかれるように、勝子がパーテーションから顔を出す。「ねえ、スマホの忘れ物って見てない？」

みずほが無言で頭を振ると、壁際の机で伝票整理をしていた事務員の杉野道代も振り向き、「さぁ」と首をひねった。

勝子が鼻にしわを寄せる。「だよねぇ」

ああ……失敗した。やはり早退させてもらうべきだった。男がこんなに早く風呂から上がってくるとは思っていなかったのだ。この状況では、男が受付カウンターから身を乗り出せば、みずほの顔は丸見えだ。或いは他の客が来て、受付横にあるタオルを買い求めてきたら、「みずほさん、お願い」と勝子に促され、受付に顔を出さざるを得ない。

早く。早く帰れ。邪魔者は去れ――

勝子が受付に戻り「やはり届いてないようです」と慇懃に言っても、男はしばらく納得しなかったが、最後には「見つけたら連絡をくれ」と住所と電話番号を残し、渋々帰って行った。

「さっきのお客さん、しつこかったわ。無いって言ってるのに」

うんざりした顔で勝子が事務所に戻ってくる。みずほはチラシを箱に詰め終え、帰り支度をしていた。

「観光客？」道代が訊く。

「ううん」勝子が首を振った。「なんか、人を探してるんだって」

「えッ、もしかして警察？」

道代がそう思うのも無理はない。つい最近、小学生の男の子を誘拐して連れまわしていた犯人が、宮崎市内のスーパー銭湯で逮捕されたという事件が世間を騒がせたばかりだった。社長からも「うちでも不審者には気を付けるように」と言われていたのだ。

「それなら警察だって名乗るでしょ。それになんだかひ弱な青大将って感じで、警察って感じじゃなかったよ」

みずほは思わずフンと鼻を鳴らしてしまい、慌てて咳払いする。

「で、誰を探してるって？」道代が眉根を寄せた。

「綿引聡子っていう30代の女性だって」

喉の奥が引きつった。

「多分、師走祭りに来るだろうから、もし見かけたら連絡が欲しいって。特徴は、髪が長くて体型は細身。色白で目が細くて……」

勝子がメモを読み上げる。

「ちょっと待って、江戸時代の人相書じゃあるまいし。写真とかないの？」

「スマホに写真を入れてたんだけど、それが無くなったから写真はないんだって」

「それは間抜けじゃない？　まあ、今の人はいちいち現像しないもんね」

みずほは適当に相槌を打ちながら聞いていたが、ふと視線を感じて顔をむけると、道代と目が合った。

「もしかして……みずほさんのことだったりして」

「私？　まさか」声が裏返るのをかろうじて堪える。「だいたい私、今年43ですよ。まあ、細身っていうなら細身だけど」と、脂肪で膨らんだ腹をつまんで見せると、道代と勝子が破顔した。

「もう～やだぁ。冗談よ」

「それにみずほさん、言うほど太ってないって」

「まただぁ、ホントに思ってます？　見ててくださいよ。今度こそ絶対ダイエット成功させますから」

2人が「はいはい」と体を揺らして笑う。その波に乗るように「じゃあ今日は上がります。お疲れ様でした」と事務所を出た。

「あ、待って！」勝子が追いかけて来た。「何か落ちたよ」とみずほの足元から何か拾い上げる。500円玉くらいの、緑色の紙片。

「なにこれ？」

みずほが慌てて受け取る。「パズルのピースです。マフラーにくっついてたのかな」

「へえ……みずほさん、お子さんいないよね？」

首をかしげる勝子に、道代が笑った。「何言ってんのよ。ジグゾーパズルは大人がやるものでしょ」

「ああ、そっか」勝子が首をすくめる。「みずほさん、パズルなんてやるんだ」

「ええ、まあ」

照れたように笑って見せ、みずほは逃げるようにドアを出た。

外はうっすら暗くなり、空気が刺すように冷たくなっていた。

宮崎県北部に位置する美郷町は、九州山地に覆われた人口5千人ほどの小さな町だ。南国九州といってもこの辺りは標高260メートルの山の中で、1月の気温は氷点下になることも多い。

みずほはマフラーに顔を埋め、大型バスや他県ナンバーの車で7割ほど埋まった駐車場を足早に進んだ。一番奥の赤い軽自動車に乗りこむと、ドアを閉めた瞬間、ほおっと深いため息が出た。

大丈夫。あんな特徴だけで気づくはずはない——

みずほが〝綿引聡子〟だったころとは何もかもが違っているのだ。

ここでは、年齢は6つ上の42歳と言っている。あれから15キロも太ってしまったし、長くつややかだった髪も今は男のようなショートカットだ。化粧っ気もなく、日焼けを重ねた肌には深い皺が刻まれ、以前かけていなかった銀縁の眼鏡のせいか、目も半分ほどに小さく見える。体型を隠すためのだぶついたトレーナーとジーンズ姿のこの女が、かつて東京文京区の庭付き一軒家で贅沢にまみれて暮らしていた専業主婦・綿引聡子だと気づく人間はいないだろう。たとえあの男であっても。

みずほは自分に言い聞かせるようにアクセルを踏んだ。

美郷町の集落は3つに分かれ、団子に串を刺すように真ん中を国道が通っている。みずほの住む家は車で30分ほどの、中央の集落にある。

霧の里を出て坂道を下り、国道を左折する。いつもならすれ違う車も歩行者もほとんどない町内だが、バスが行き交い、町中が眠りから目覚めたように活気づいていた。

田んぼの中には高さ5メートルはあるだろうか、クリスマスツリーのような櫓がいくつも並んでいて、夕闇の中、人々が補強したり周りを片付けるなど、最後の準備をしていた。明日はあの櫓が天高くまで燃え上がる。

親子の絆を象徴する迎え火だ。


みずほ――――綿引聡子がこの祭のことを知ったのはほんの偶然だった。

あれはいつだったろう。神保町にあるパズル専門店に立ち寄った。

確か、着ていた黒いコートの肩のあたりに桜の花びらが付いているのを、忌まわしい気持ちで叩き落としたのを覚えているから、きっと春だ。

何度か訪れていたその店で、見たことのない風景写真に目を奪われた。天まで焼き尽くすほど高く燃え上がったオレンジ色の炎の中、白装束を着た人々が粛々と歩を進めている不思議な光景。人間と神との、力強い意思の調和ようなものが全体から立ち上っていた。

「すごいでしょう、それ。私が撮ったんですよ」

初老の店主が明るく声をかけてきた。

聡子の頭はずいぶん長い間ぼうっとしていて、夢の中にいるような感覚だったが、なぜかこの瞬間、炎が霧を散らすように目が覚めていった。

「師走祭りといって、うちの奥さんの故郷の祭りなんです」

「師走祭り……これ、何が燃えてるんですか？」

「確か竹と杉の葉って言ってたかな。そりゃあすごい迫力でしたよ。なんでも、親子の絆を守るお祭りだとか」

口の中で反芻する。オヤコノキズナ。

「興味ありますか？　今年初めて行ってきたんだけど、ちょっと珍しいお祭りでね」

店主は得意げに、宮崎県美郷町で千年以上続くという『師走祭り』の由来を話し始めた。

西暦６６０年、百済王の父子が国を追われ、日本に亡命してきた。ところが追手から船で逃げる途中、嵐のため座礁し宮崎県の別々の浜に流れ着く。

父は禎嘉王といい、子は福智王といった。２人は離れた町にそれぞれ身を寄せ、敵から身を隠しながらも年に一度だけ父子の交流を続けたという。しかしそれも追手の知るところとなり、追い詰められた父・禎嘉王は無惨にも殺されてしまう。

そんな悲劇の父子を哀れんだ町の人々が年に一度、２人の御霊を慰め、再会を果たさせるために神事を始めた。２人が留まっていた町と町、90キロの道のりを、９泊10日もかけてご神体を運ぶのだ。この炎は、父の待つ神社で焚かれる迎え火だという。

「今は車を使って2泊に短縮されたらしいけど、九州の山々に閉ざされた秘境で、外国の王族に由来する祭りを千年以上も続けてるなんて、ロマンがありますよね」

「そうですね……」頷きながら、聡子は炎の向こうに立つ百済王の父子を想像した。死んでもなお、会いたいと願い続ける親子の絆が、時を超えて人々を動かし続けているのか――

ハンドバッグの中ではさっきからスマホのバイブが震えている。聡子は相手を見ずに電源を切った。

「このお祭り、行ってみたいわ」

「ぜひ。毎年1月の下旬にやってるようですよ。ああ、よかったら、この写真をパズルに仕立てたのがありますよ」

店主はいそいそとレジの奥へ引っ込み、戻って来た時には写真を加工して作ったという1000ピースのパズルを抱えていた。


あれから一年近く。やっと明日、あの光景がこの目で見られるのだ。それなのに、あの男が来るなんて――

「あっ」慌ててハンドルを切る。

考え事に気を取られ、対向車に気付くのが遅れた。はずみで助手席の手提げ袋から、みずほのものではないスマホが転がり落ちた。さっき、あの男が霧の里に入ってきてすぐ、目を離した隙にバッグから抜き取った。

登録されていたみずほの写真は８枚だった。たったの、８枚。

どこか途中の山道で捨てておこう。祭が終わって私たちがこの町を出るまで、見つからなければそれでいい。

2

充分に熱したフライパンにこんもりと丸めたタネを置くと、ジュウと音を立てて香ばしい煙が立ち上った。玄関を上がってすぐの板の間が台所だ。

あの日手に入れた１０００ピースのジグソーパズルは、アルミフレームに収めてドアの横に飾ってある。毎日、この炎を見ていると、冷え切った体に体温が戻ってくるようで、なぜだかほっとした。

神保町の日から間もなく、みずほはこの町にやって来た。

役場に行って、親戚が住んでいたこの町にいつか住むのが夢だったと、神保町の店主から聞いた話を適当にアレンジして話すと、職員はあっさり信じて築60年のこの家を紹介してくれた。古くてすき間風もひどいが、みずほにとっては初めて暮らす『自分たちの家』だった。みずほと――息子・誠の。

「ねえ、お腹空いた。ハンバーグまだー？」

いきなり腰に抱き着かれ、包丁を持つ手が揺れた。

「危ないって、誠！　待ってて、今できるから」

　見ると、回した腕に小さな引っかき傷がある。昨日YouTubeかなにかを見ながらダンスしていて転んだ傷だ。あんなに気を付けなさいと言ったのに！

「絆創膏はがしちゃったの？　朝出掛ける時にはきちんと貼ってあげたでしょ」

「だってかゆいんだもん」

　何かに夢中になると引っかいてとってしまう癖。

　まったく、落ち着きがないんだから。あとで貼りなおしてやらねば。いや、その前に暴れないように注意しないと。

「ねえ、誠。昨日みたいに飛んだり跳ねたりはやめてよね」

「はいはいはーい」

「こら。ハイは……」

「一回でしょう！」みずほの口真似をしておどける。最近口が達者で困ったものだ。

　誠は今年9歳になる。学校へは行っていない。

　以前の自分——綿引聡子なら絶対に許さなかったことだ。ひとりでネットを見ることだって、親に口答えすることだって。だが今は本人の好きなようにさせてやろうと決めている。ずいぶん長い間、無理をさせたのだから。

始まりは誠が2歳の頃だった。

法事で会った義理の姉が、化け物でも見たかのような目で聡子を見た。

「嘘でしょう？　誠君、私立受験させない気？」

「そんなにおかしいでしょうか」

「待って待って、冗談はやめて。公立なんてあり得ないって」

「でも、武さんもそれでいいと言ってくれてますし」

聡子はずっと母親になるのが夢だった。幼い頃に両親が離婚し、父親に育てられたためか、両親揃った「普通」の家庭に憧れていたこともある。だから大学卒業後、派遣で働いていた食品メーカーの先輩と26歳で結婚したことも、自分としては早すぎる感覚はなかった。

嫁いだ家は代々続く地主の家柄で、高校時代の友人からは玉の輿と羨ましがられた。やがて誠が生まれたときはただただ幸せで、元気に成長することだけを願った。

しかし、夫の家族や周囲の空気はそんな単純な願いを許さなかった。

苛められたとか、何かされたということはない。ただ誠の教育に関しては、控え目でありながら粘り強く着実に干渉されるのだ。聡子が選ぶことは全く信用されなかった。

「母親がちゃんとしなくてどうするの。誠の将来を潰す気？」

「そんなつもりは……」

「あなた、もう少し勉強したほうがいいわよ。失礼なこと言うけど、誠のことは、あなたが育ってきた世界と一緒にするべきではないと思うの」

　自分の価値観は全部間違っていると言われて、正しさがわからなくなった。それからは、自分が変わらなければと焦るあまり、無抵抗に周りの意見を聞き入れた。やがて聡子自身も、誠のためには父親と同じ名門私立に入れること以外あり得ないと思うようになった。

　元来、聡子は自分の頭で考えることが苦手だった。「あなたはどう思うの？」と聞かれると、頭の奥がしびれたようになり、真っ白になってしまう。悔しいとか腹が立つとか、感情は次から次へと立ち上るのに、それが言葉に帰着しないのだ。

　そのため、気付くと誰かの意見があたかも初めから自分の考えだったかのように、頭の中に陣取っている。誠の教育に関してはまるでその通りになった。

　3歳になるころには週4回、受験のための幼児教室に通った。体操教室やピアノレッスン、絵画サークルにも入った。

　息抜きといえば、庭で一緒に花の世話をすること。ふかふかの芝生に腰をおろし、花の名前を教えてやるひとときは、聡子にとって至福の時間だった。

　もうひとつは、知育に効果があるからと始めたパズル遊び。誠はパズルに夢中になり、次々と難しいものにもチャレンジするようになった。

「すごいわね、誠君。天才じゃない？」

　褒められると嬉しかった。だからますます誠に頑張らせた。

それが誠のためではなく、自分のためだったと気づいたのは、後になってからだ。

今はあの頃とは違う。

他の子と比べたり凝り固まった常識にとらわれず、その子自身の内面にある輝きをきちんと見てやることが大切。学校だって、本人が行きたくなれば行くようになると、読んだ本やテレビの専門家が言っていたし、みずほもそう思っている。だから特に追い立てるようなことはしない。もう二度と失敗しない。

「いただきまーす」

美味しそうにハンバーグを頬張る誠は本当に愛らしい。

「今日は何をしてたの？」

好奇心旺盛で、興味があることは図鑑やネットで自ら調べ、放っておいても勉強する子だ。息抜きで見ている動画やゲームも怪しげな物はなく、子供らしい明るいものばかり。だから一人にしておいても心配はしていない。

「パズルだよ。お母さんが急げ急げって言うから」

「どう？　完成しそう？」

「あと少し！」

「そうだ、お母さんのマフラーに一個くっついてたみたい」

上着のポケットから緑色のピースを取り出し、テレビ横に置かれたパズルの箱に戻す。『マザーズ　パーフェクトデイ』という人気の絵柄は、去年のクリスマスにプレゼントしたものだ。赤やピンク、色とりどりの花が咲き誇り、小川が流れる緑の庭。奥にある洋館には灯りがともり、あたたかな光を放っている。

少しだけ、昔住んだ家の庭に似ていた。

「ねえ、これってどこにあるの？　次はここに引っ越すんでしょ？」

「それは行ってからのお楽しみ」

生きていくにはルールが必要だ。完成したパズルの場所に移り住む、これが私たちのルールだった。美郷に来ることを決めたとき、「どこへ行くの」と聞かれ、苦し紛れに作ったルールだが、みずほは案外悪くないと思っている。

「ねえ、お母さん。ご飯食べたらドライブ行こうよ」

「今から？」

昼間、出かけることは禁じている。昼間から子供が出歩いていればあれこれ言われるだろう。そのかわり夜になって、みずほと一緒なら好きなところに連れて行ってやっている。

「いいけど、ご飯全部食べちゃってからね」

「わかってるよ。残すのはお行儀悪い、でしょ？」

誠はみずほの作った物を何でもおいしいと言って食べてくれる。きれいにたいらげた皿を見る度、嬉しくなる。

ただ、最近あまり背が伸びていないのが気になる。栄養は完ぺきなはずだが運動量が足りないのかもしれない。やはり家に引きこもってばかりいるせいだろうか……。

夜も更けた山道を、誠を助手席に乗せ、迎え火の会場まで車を走らせた。

人けのなくなった田んぼに30基ほど並んだ櫓は、動きを封じられた巨人のように、青白い月明かりに照らされて、幻想的な陰影を作っていた。

「明日はあれが燃えるんだよ」

「せっかく作ったのにどうして燃やすの？」

「無事に到着した行列を迎え入れる意味があるんだって。昔は悪い奴を追い払うためだったらしいけど」

誠が櫓をじっと見つめる。「そこまでしてお父さんと子供を会わせてあげるなんて、この町の人は優しいいね」

優しい誠。愛おしい誠。みずほは誠を抱きしめた。

3

翌日、霧の里は早朝から大忙しだった。

祭りは町の人が総出で手伝う。食堂も併設している霧の里では、地区の人たちのまかないや、夜の直会で提供する食事の用意を任されていて、みずほも早朝から休みなく働き、気付くと昼を回っていた。

90キロ離れた木城町を出発した御神幸行列が美郷町の神門神社に到着するのは午後6時頃。氏子たちはその到着を見計らって、迎え火の櫓に一基ずつ着火する。

みずほは3時には仕事を終え、誠を迎えに行くつもりだ。誠が喜ぶ顔が早く見たい。だが、あの男はどうしただろうか――

女湯の掃除に行く前、受付にいる勝子にそれとなく尋ねてみた。

「昨日の、スマホの忘れ物の人？ 今日は来てないよ。何も言ってこないところを見ると、見つかったんじゃない？」

スマホは昨晩、山の中に捨てたので見つかるはずはない。ただ、スマホを取り上げたところで、あの男は写真などすぐに手に入れて、町中を「この女を知らないか」と探して回ることも覚悟していた。だが男がみずほを探し回っている様子はなかった。

恐らく今夜、みずほたちが迎え火を見に来るところを狙って捕まえるつもりなのだ。あくまでも観光客として来ると思っていて、半年も前からここに住み着いているとは思ってないのだろう。

誠を連れて見物に行けば、あの男に見つかるだろうか。いや、迎え火には多くの人が集まり、炎から遠ざかればあたりは真っ暗だ。鉢合わせにさえならなければ気付かれることはないはず……

ああ……また頭がしびれてきた。余計なことを考えるのはよそう。

女湯のマットを取り替え、ゴミを捨て、淡々と仕事をこなした。掃除を終え、事務所に戻ると道代に声をかけられた。

「あ、みずほさん！　手、空いてる？」

「ええ。今、定時清掃終わったとこです」

「悪いけど、おにぎりが足りなくなったって言うから、鳥居まで持ってってくれる？　もう上がる時間だっけ？」

「いいえ、まだ大丈夫ですよ」

みずほは紙袋を受け取り、ダウンを羽織って霧の里を出た。

国道脇には、たこ焼き屋や綿あめなどの出店がびっしりと並んでいた。家族連れや中高生が楽しげに行き来し、道端では三脚を抱えたカメラマンが場所取りをしている。田んぼの櫓の周りでは人々が椅子やテーブルを並べ、談笑しながら着火の時を待っていた。

華やいだ雰囲気に、自然とみずほも気分が高揚してくる。

ところが――――おにぎりを届け、国道を渡って霧の里に戻ろうとしたときだった。

行きかう車の間をすり抜け道を渡る子供の姿が見えた。

危ない、と思った次の瞬間、凍り付いた。

「誠⁉」

周りが分厚い上着を着こむ中、シャツ一枚にジーンズという軽装で誠が駆けていく。

「誠！　待って！」

どうしてこんなところに？

家からここまで歩いてくるのは不可能だ。

鼓動が激しくなる。

どこへ行くの？　何をしてるの？　どうやってここまで来たの？

追いかける足がもつれた。

唇が震え、頭の奥でけたたましい警報音が鳴った。それが車のクラクションだとわかったのは、
眼前に白いバンパーが迫ったときだった。

「危ない！」

腕を掴まれ引き倒された。あの男だった――

「やっと見つけた。やっぱりここに来てたんだね、聡子」

「放して！」

みずほは元夫である綿引武を力いっぱい突き飛ばした。

忌々しい顔。誠の父親にくせに。

何もしてくれなかったくせに。

「知らない。私は綿引聡子じゃない。あなたなんか知らない！」

「聡子！」

誠を見つけなきゃ。こんなに寒いのに上着を着ていなかった。風邪をひいちゃう。扁桃腺が腫れやすいんだから。寒がりなんだから。帰ったら生姜のスープを作ってやろう。いや、その前にお風呂だ。

誠、誠。

誠は道のはずれにたたずんでいた。

「誠!」

「あ、お母さん」

「なにやってるの？　どうしたの？」

「えへへ。びっくりさせようと思って」悪びれもなく言う。

「仕事が終わったらお母さんが迎えに行くって言ったでしょう？」力いっぱい抱き締めると、氷のように冷たかった。「こんなに冷えてるじゃない!」

どうしてだろう、手が震えた。頭の奥がしびれ、喉もカラカラに渇いていく。

行かないで、どこにも行かないで。

どのくらいそうしていただろうか。

気付くと、遠くから太鼓と笛の音が聞こえてきた。行列が到着したのだ。田んぼの中からオレンジ色の火柱があがり、ひとつ、ふたつと増えていく。

「見てお母さん、始まったよ！」

　バチバチと破裂音が聞こえ、炎は生き物のように大きく伸びていく。まるで空気中に漂う邪念を食らい、成長しているようだ。

「すごいね、お母さん」

「ほんと。綺麗ね……」

　漆黒の闇を紅の炎がさらに焦がしてゆく。炎の熱さがみずほの体を通して誠に伝わるならば、あの火に焼き尽くされても構わないと思った。

　誠の柔らかい髪の毛に顔を埋める。なぜか赤ん坊の頃のミルクの匂いがした。いい子だね、誠。いい子、いい子――

　やがてみずほの視界はぼやけ、まばゆい光だけになった。

4

　目覚めた時、どうしてここにいるのかわからなかった。

　壁には１０００ピースのジグソーパズル。テーブルの上にはあと一つで完成する、未完成のパズルがあった。

「誠？」

　飛び起きると、誠の代わりにあの男・綿引武がいた。

「どうしてここにいるの？　誠は？」

だが綿引はそれには答えない。

「ここで誠と暮らしていたんだね」独り言のように言った。

なに？　どういうこと？　頭がぼんやりしていて力が入らない。

「倒れているのを、温泉の同僚の人が見つけてくれたんだ。それから丸一日寝ていたんだよ。きっと体も心も、どこもかしこも疲れ果ててたんだろう」

喉が渇いていて、声がかすれた。

「誠は？　誠はどこ？　どこに隠したの！」

「誠は――」

綿引は海に沈んだガラス玉のような目をみずほに向けた。

「誠は――僕たちの息子は、もういないんだよ」

喉が引きつるように鳴った。

この男は何を言ってるの？　何もわかってない。あの頃も、今も。

「君だってわかってるはずだ。去年の冬、誠は家を飛び出して、信号無視のトラックに轢かれてしまった」

「バカなこと言わないで」

やめて、そんな目で見ないで。役立たず。たった8枚しか、家族の写真を持っていなかったくせに。

「君はここで2人分の食事を作って食べていた。少し太ってしまったのはそのせいかな。誠が好きだったパズルを、君は誠の代わりに毎日やってあげていた」

やめて、もうやめて。

わたしには全部ある。誠はここにいる。

聡子は一昨日誠に貼ったはずの絆創膏が、自分の腕に貼られているのを見て、目を逸らした。

「……どうしてここがわかったの」

「神保町のパズルの店から年賀状が届いたんだ。『師走祭り、楽しんできてください』ってね。僕は知らなかった。君と誠がよく一緒に行っていた店だったんだね。四十九日のあと、君が姿を消して何処へ行ったかずっとわからなかった。僕は仕事にかまけて君が行きそうな場所を知らなかったからね。辿りつくのにずいぶん時間がかかってしまった」

「だったら……」声を振り絞った。「放っておいて。私にかまわないで」

「君に会って、どうしても別れたいというならそれでもいいと思っていた。だけど、そうはいかないよ。これを見て、君が何をしようとしていたかわかったんだ」

綿引がテレビの横に置かれたジグソーパズルに目をやった。色とりどりの花が咲き誇る、完璧な庭。次はここへ行こうって、誠と約束した庭。あと1ピースで完成する庭。

「この絵は『マザーズ　パーフェクトデイ』っていうタイトルなんだってね。母と息子の幸せな日々のすべてが詰まった夢の庭。この世のどこにもない場所。つまり君は――」

死ぬつもりだった。

だって誠はどこにもいないんだもの。殺したのは私なんだもの。

受験に失敗して、通った地域の学校では虐められて不登校になった。一番辛かったのは誠なのに、お前のせいだと責められた私は苛立って誠にあたってしまった。誠が家を飛び出した時、直前に叱ったのは私。私のせいで誠は――

「君のせいじゃない。僕が悪かったんだ」

嗚咽する聡子を、綿引が強く抱き締めた。

「誠に会わせて、誠に会いたい」

「帰ろう、一緒に。東京に」

「誠――」綿引の腕の中で慟哭しながら、聡子は思った。

百済王の親子は今年も無事に再会できただろうか。千年の時を経てもなお、親子の絆が残り続ける奇跡があるなら、誠もこの先、私のそばにあり続けてくれるだろうか。


道向こうから地鳴りのような声が聞こえてくる。

「おさらばー」「おさらばー」

道端で町の人たちが鍋やしゃもじを手に、帰って行く一行を見送っている。声を張り上げ、掲げた手を大きく振って、何度も何度も「おさらばー」と叫んでいる。

「おさらばー」

助手席のドアを開け、道に立つと耳元で誠の声がした。

ここにいるの？　誠？

振り向くと、綿引も車から降りてきた。

「『おさらば』って、もう会えないという意味じゃなくて、また会える、それまで元気で、っていうことなんだって」

聡子はそっと目を閉じてみる。

そうなの？　誠。行ってしまうの？

おさらば、誠――

おさらば、母だった私――

また会えるよね。

瞼の裏で燃え続けていた迎え火が、白い煙となって消えた。

佳作

「旅の二人」

松崎祥夫

久しぶりに勝平（かつひら）はオートバイのスタートボタンを押した。

愛車はガソリンの臭いと共に一発で目を覚ました。低く太い排気音を地鳴りの様に響かせる。旅の荷物を積んだ１８００ccクルーザータイプのオートバイは、優に重さ３００キロを超す。慎重に押して車庫から前の道路に出す。ちょっと足がふらつく。

退職して5年が経った。若い時には柔道の大会にも出るほどの体力自慢だったが、今は自信が無い。勝平は「ふうっ」と息をついて、サイドスタンドをガチャッとかけた。

「美恵さん、そろそろ出かけるよ」

勝平と妻の美恵には子供がいない。淋しいが気楽でもある。その気になれば、こんな旅行は直ぐに出かけられる。

家の戸締りと火の始末は確認した。天気予報も雨は無いと言っている。3月はまだ寒いがライダー服には防寒が施してある。空気もカラッと乾燥し空も青く澄んでいる。鼻歌でも出そうな浮き浮きとした気分だ。

「さあ、行くよ」。左胸ポケットに忍ばせた美恵の写真に手を当てて、玄関の『植野』の表札に目で合図する。

自宅前の狭い道路から大通りに出た。車の流れに乗って、国道２１８号線を高千穂方面に向う。河川沿いの国道は風が強いが、勝平の体重も合わせて４００キロのクルーザーはものともせずに突き進む。ドンドンドンという無骨な排気音が頼もしい。

「寒くない？」。勝平は胸ポケットの写真に、大声で話し掛ける。エンジンの音が激しくても会話は何とか伝わると思う。

五ヶ瀬川沿いの緩やかなカーブに差し掛かる。出力を押さえながらコーナーに入った。オートバイの醍醐味はカーブでの重心移動だ。カーブを抜ける頃にエンジンの回転を上げる。トルクが雄々しく強さを増す。

美恵も以前は４００ccのスポーツタイプに乗っていた。オートバイのツボは心得ている。大型クルーザーの音や力感を堪能している事だろう。

右に行縢山（むかばき）を眺め、間も無く錆びの浮いた橋で五ヶ瀬川を渡る。

「美恵さん、どんな？」。また胸の写真に話し掛ける。

「うん、了承。このまま走るよ」

黒木という集落を抜け、やがて宇納間（うなま）に入った。小さなカーブを幾つも曲がり、神門（みかど）という標識が眼に入って来た。

神門神社や商店街を通過し、更に山へと分け入る。この先はどんな道なのかと心配になり始めた頃、韓国風の色合いが眼に入った。『恋人の丘』と呼ばれている展望台である。

ここには退職の半年前にも美恵と二人乗りで来た事がある。その時は年甲斐も無く展望台の名称に魅かれて、午後からのドライブで出掛けた。

丘には百花亭という六角屋根の東屋があり、中に対になった二つの鐘が下がっている。この『絆の鐘』を叩くと、絆がより深まると言われている。二人で叩くと、カンカンと良く透る鐘の音が、丘から山の斜面に響く。

美恵は赤い南京錠をポケットから取り出した。それを勝平に見せ悪戯っぽく笑った。

「折角だから私達もこれを吊りましょう」

百花亭横にある金属製のツリーには、永遠の想いを願う恋人たちの南京錠が無数に吊られている。勝平は少々照れくさかったが、ちゃんと錠を用意して来る美恵の気持ちを嬉しく思った。美恵は赤い錠にマジックペンで二人の名前を書き込み、ハート型のツリーにカチッとロックした。

「これで誰も私たちの錠を外せないわ」

「でも、君はそれで良いのかい?」。勝平はおどけた口調で美恵の笑顔に応えた。あの日も空気が澄んでいて、麓には稲刈りを終えたばかりの南郷の田園が拡がっていた。

6年ぶりに訪れた今日も、遠く山並みが見渡せる。あの時と同じ景色を見てため息が洩れた。

「小さく見える家の一軒一軒に、それぞれの家族の生活があるのだねぇ。そう思うと、この風景が余計に愛おしくなるねぇ」

美恵も6年前の記憶を辿っている事だろう。勝平は胸の写真に手をあてた。

「うわっ、あれを見てごらんよ！　僕らがロックした錠だよ。まだ残っていた」

それを聞いた写真の美恵の目がぱっと輝いた様な気がした。勝平はツリーに急いで駆け寄った。

赤い錠を手にとってハンカチで何度も拭いた。まだ『勝平　美恵』と薄く読める。

「うひゃ、メチャクチャ来たかいがあった」勝平は得意のダンスのステップを2、3回踏んで美恵に披露する。以前に比べるとさすがに動きにキレが無い。呼応する様に腹の虫が、クウーと昼食時を知らせた。


南郷から西郷へと山深い里を、大型クルーザーは静寂を破って進んで行く。遠い山並みを見渡しながら、勝平は美恵の様な優しい女性(ひと)と巡り会えて本当に良かったとしみじみ思う。

子供は授からなかったが、思いやりに満ちた生活はどの場面を想い返しても幸福感がある。

生徒の部活や進路指導で遅くなっても、いつも温かい料理で迎えてくれた。牛肉を煮込んだシチューは殊に絶品でいつもお代わりをした。美恵の存在を胸に感じながら、二人の長い生活がふつふつと甦る。

オートバイの趣味も一致して、二人であちこちと出かけたものだ。若い頃の美恵はスポーツタイプの400ccで、勝平よりも攻撃的なライディングをしていた。束ねた黒髪がフルフェイスから、赤いライダースーツの背にこぼれ風になびいていた。その姿に見とれながらも勝平は必死で付いて行ったものだ。

「もう直ぐ五ヶ瀬だよ」。柔らかい日差しの中で写真に話し掛ける。

今日の宿には温泉がある。冷えた身体を温めて山のご馳走をいただく。ビールの後は焼酎も貰おう。ワインなら美恵の写真の前に置いても似合うだろう。疲労を覚えながらも、勝平は想像すると喉が鳴った。

「予約している植野です」。ホテルの宿帳に記入して食事の時間を訊ねた。

「お部屋に6時にお運びします」。受付の女性は都会的な制服を着ているが、物言いは宮崎の抑揚だ。勝平は寛いだ気持ちになれた。

「美恵さん。部屋でゆっくりしましょう」。勝平の独り言に、女性が怪訝な顔つきをした。それに気が付かずに勝平は荷物を手に部屋に向う。部屋に着き重いライダー服を脱ぐ。ほっとした面持ちで浴場に向う。浴場は先客が居らず、ひっそりとしている。畳4枚程の広さの湯船は清潔感があり、湯はつるつるとしている。

身体を洗って湯船で手足を伸ばした。今日は150キロを走った。しかもほとんどが山道で、初老の身には疲れがある。

窓越しに外の景色を眺めた。山並みが夕景に浮かび上がっている。町の狭い空間に住む身としては充分な開放感だ。

痩せた若い男が浴場の戸を勢いよく開け、ズカズカと入って来た。

やおら浴槽の前に屈み、手桶で激しく湯をかぶる。周りに湯が跳ねる。何杯目かをかぶる頃、たまりかねて勝平は注意した。

「君、湯が跳ねとるよ」

「えっ、オジさんに掛かったっけ？　そんげ激しかったかえ？」

「ああ、さっきまで乗っていたオートバイのエンジンの音並みだね」

「えっ、外の１８００ccはオジさんのけ？　えらい格好良いね。じゃけどオジさんが、あげなでけえのに、よう乗れるね」

「髪の毛は元気が無いが、まだ頭の中身と体の方はいたって元気だ」

勝平は薄い頭髪を手でなぜた。男のずけずけとした物言いが気に掛かる。

「俺もホンダのナナハンに乗って来たっちゃが。仕事辞めて気分転換じゃね。後でオジさんのオートバイを見て良いかえ？」

オジさん、オジさんが馴れ馴れしく、やはり気に障る。

「構わんよ。間違って排気管を触わっても、もう手から煙は上がらんじゃろう」。勝平はそそくさにして浴場を後にした。

部屋に戻ると写真の美恵は元気が無い様に見えた。胸のポケットで一日揺られたせいだろう。この数年は体調を崩しがちだった。

「美恵さん、明日は大丈夫かな？　旅を切り上げて家に帰ろうか？」

美恵は写真の中でニコッと笑った、様だ。勝平は、ほっとしてグラスのビールを口にする。冷たさが喉から胃に落ちる。気持ちが和み、写真の美恵の笑顔をまじまじと見詰めた。

以前なら取りとめも無い事を夜更けまで話し合ったものだが、勝平も些か歳をとった。それでも二人で過ごした永い時間には充分な重みがある。黙っていても表現出来ない充足感をもたらしてくれる。そんな想いに浸っていると心地よい睡魔が来た。

「お休みなさい」。美恵の写真をベッドサイドに飾り、照明を消した。


山の朝は空気が冷え、頭の芯まで気持ちが良い。勝平はクルーザーに荷物を丁寧に積みながら、胸ポケットの美恵の写真に今日の旅程を呟く様に説明する。

そこに昨日の浴場の若い男がやって来た。

「お早う、旦那さん。良い天気じゃね」

今日はオジさんとは呼ばんのか…勝平は目で挨拶だけ返した。男は構わずに勝平の荷物を抱え上げ、荷造りを手伝いだした。

「お、悪いな」と、さすがに言葉を返す。

「自分のはあれよね」と、男はエントランスに駐めてある青いスポーツタイプの750ccを指差した。小さい荷物が一つだけタンクに括り着けてある。

「君はどこから来た？　延岡かな？」

「よう判るね。旦那さんは、ひょっとして学校の先生かえ?」

「ああ、もう退職したがね。君こそ何故判った?」

「旦那さんはいかにもそんげな雰囲気じゃもん。俺、今日は一人よね。行く当ても無いから後ろから付いて行って良いけ?」

「自分はゆっくり走るから、君とはペースが合わないだろ」

「うんにゃ。実は、俺も余り飛ばさんとよ。慎重な性分じゃかい」

男は自分の言葉に、「うん、うん」と頷いた。

勝平は美恵の写真と二人だけでゆっくり走りたい気分だが、男の地元訛りにはどこか気楽さがある。

「まあ、暫く一緒に走ってみようか。久住を経由して別府方面だよ」

「俺、適当に付いて行くわ。武本ちゅう名前よね、宜しくね」

男は直ぐにも走り出す気配で、赤いジェットヘルを被りナナハンに跨った。


武本は結構吹かしながら、勝平の前や後ろになって付いて来る。山道から325号線に入り、ループ橋先のガソリンスタンドを右折した。瀬の本への近道となる直線がしばらく続く。直線路では「ヤッホー」と奇声を上げながら、勝平のクルーザーを追い抜く。そして道路脇によけ、また勝平に先に行かせる。それを何度も繰り返す。青いオートバイに赤いヘルメット、それにジャンパーが黄色で交通信号が走っている様だ。勝平は煩わしい奴だと呆れるが、その内に気にならなくなった。

道沿いに廃墟の様なかなり大きな建造物が見えて来た。何本もの大木がうねうねと交錯し、森の隠れ家を思わせる風変わりな建造物だ。何年も放置され人の気配は全く無い。

勝平は大きなゲートを見上げる場所にクルーザーを停めた。写真の美恵も手足を屈伸させて不思議そうに建造物を眺めている、と勝平は思う。

「君は結構飛ばすじゃないか」

「そうかえ。じゃけどセンセはずっと60キロの安全運転じゃね」

「処々、65キロ出した。事故を起こさん走り方だよ」

武本の手にした缶コーヒーがプシュと音を立てる。勝平にも一本渡す。

「おう、有難う。処で武本君は何歳かな？」

「センセ、俺なんぼに見えるじゃろかい？」

サングラスを外し正面から勝平を見た。案外と実直そうな顔つきだ。皺の多い顔に細い目が人懐こく笑っている。勝平はからかいたくなった。

「そうだなぁ…30かなぁ？」

武本は「ふぉふぉふぉ」と妙な笑い声を立てた。自分はお人好しと宣言している様な笑い声であるが、どこか抜け抜けとして厚かましくも聞こえる。

「センセ、何げな？　俺まだ25歳じゃわぁ。大工は日焼けすっかい歳に見ゆっとかえ？　センセは、まこちセンセじゃろ？　もちっとちゃんと見てくんね。じゃけんど学校で何を教えよったっけ？」

「数学だよ」

「ふぉ、やっぱやぁ。そん辺かな思うたよ。そんげ顔に書いちあるもん」

「武本君は何で大工を辞めた？」

「へへ、棟梁の娘に惚れてね」。鼻の下が少し伸びた。

「高校ん定時制を中退したのがばれて、棟梁に太てえこつ叱られた。交際も認めん言われたかい仕事を辞める言うて、それからはずっと旅鴉じゃもんね」

「それは残念だね。今後はどうする？」

「うーん、まだ判らんとよね。どんげしたら良いちゃろかいね？」

物言いが軽く、どこまで真剣に考えているのか判らない。

「ま、良っか。成る様になっちゃろ…」。武本は人ごとの様に言ってサングラスを掛け直した。

雲が少し出てきたが、雨を気にする程では無い。山の空気は清々しく気持ちが良い。

「センセ。やっぱ、たまには旅鴉にもなるもんじゃね。何んか空気が美味えわ。高尚なセンセにも会えたしね。俺ん名は典夫じゃかい、ノリって呼んでくんね。もう行こうかい」、屈託無く言った。

甲高いエンジン音と共に交通信号の三色が勢い良く道路に乗り出した。

由布院までは2時間走った。勝平を年配者と見たのか武本はいつも先導した。武本なりに気を使っている。

観光地では「こら、のかんか、危ぶねが」と何度も自転車の高校生に大声をあげた。駐車場では率先して二台分を確保してくれた。

「センセに合わせてゆっくり走ったかい、何んか調子狂ったわ」

「頼んだ覚えは無いな」

「何んげなぁ、センセは扱いにきいなあ。綿菓子買って来ちゃるかい機嫌直おしねよ」

「いや、自分は水分の摂取だけで充分だ」

「摂取けえ。何かセンセは言う事がさすがにシブイなあ。じゃけんどセンセ、由布院はやたらと女ん子が多いねぇ」

「道理で香水の匂いがするわけだ」

「え、そんげ匂うかえ?」。武本は鼻をひくひくさせた。

「ノリ君は女の子が好きじゃな」

「何で判ると?」

「顔に相当大きく書いてある」

週末でも無いのに女性の観光客が多く、ぶつかりそうになる。胸の写真を護る様に、勝平は大袈裟に手で胸を庇っている。

武本がその様子をぼんやりと見ていた。

「センセ、聞いてん良いかえ?」

「何だね？　いちいち伺いを立てるタイプではないだろ」

「まあ、そうじゃけど…センセは奥さんか子供の写真でも胸ポケットに入れちょるとかえ？　朝も駐車場でポケットに向かって独り言を言いよった」

いきなり心を見透かされた様で勝平はうろたえた。視線が宙を泳ぐ。

「やっぱ、悪いこつを聞いたっかえ？　じゃけんど朝かい気になってね」

「変に思われてもいかんから、独り言は聞こえん様にしとった積もりじゃが判ったかね？」

「うん、聞こえたし、ちびっと訳有りかな思ったとよ。ノーコメントにしたいんじゃろ？　もう何も言わんで良いちゃが。悪りかったね」

武本は勝平をちらっと見た。

武本の視線の先の勝平の目が潤んで赤くなっていた。

「センセ、冗談じゃろ。俺、まじヤバいわ」

武本は咥え煙草を素早く投げ捨て、勝平の肘を引っぱり駐車場の隅に連れて行く。

もう一度煙草を取り出し火をつけた。深く吸って大きく煙を吐いた。それを慌てて2回繰り返した。

その様子を見て今度は勝平が気を使う。

「いや、済まん。長年連れ添った妻が病気で二ヶ月前に他界したものだから。妻がいつも側に居ると思わないと…やたら落ち込むものでね。いつも胸ポケットに写真を忍ばせて語りかけているのだよ。変わった振る舞いと思われない様にした積もりじゃが、どっか変だったろうな」

説明を聞き終わってからも、武本は黙ったまま人の流れを見つめている。目の前の大きな池がきらきらと光を反射している。由布院一番の観光名所は人の行き来が多い。

沈黙に耐えかねた様に武本はいきなり大きい声を出した。

「まこち良い天気じゃねえ。ちびっと雲があるこたあるけんど…」

その後の話しの接ぎ穂が見つから無い。

「良いよ、ノリ君。気を使うな。現実は現実だよ。子供も居ないから、また俺は正真正銘の一人者に戻っただけだよ」

勝平の目はもう乾き、落ち着きを取り戻している。

「良いオジさんが目なんぞ潤ませて悪かった。今までは気力、体力とも充分だったがこの二ヶ月で急に萎えた。先に逝かれると途端にこれだ」

「経験が無えかい俺には判らんけんど、俺も棟梁から娘との交際は認めん言われてショックじゃった。それでんセンセのとはラベルが違うじゃろね。上手いこつ言えんけんど奥さんはきっと空からセンセの事を見ちょるよ」

武本にしてみれば精一杯の言葉である。

「ありがとう。旅鴉のこの俺を空から見ていてくれるのかなぁ…」

ため息混じりに勝平は空を見上げる。天気予報が晴れと言ったのは宮崎の事だったらしい。ここは大分の空だから雲があっても不思議では無い。そんな取り留めも無い事を勝平はぼんやりと考えた。

「何げなぁ、明日辺りかい雨んなるんじゃろかい？」

付き合った様に武本が空を見上げ、顔を曇らせる。

「じゃけんど、俺はどうでも良いとよ。雨が降りゃ、降ったで良いし。そん時ゃ濡れて延岡に帰るだけよね。アパートはまだ契約が残っちょるかい」

「そう言うな、ノリ君。風邪を引いたらまずいだろ。俺は別府に泊まるから、レインウェアを持って行け」

「良いちゃが。そんげしたらセンセが困るじゃんけ。今日の内に帰れば多分問題ないし」

「ノリ君どうだい？　ここは一つ提案だが、今晩別府に泊まって酒を付き合わんか？」

武本は途端に顔がゆるみ皺が浮かんだ。

「良いねえ。俺、金は持って来たかいセンセに付き合うわ。迷っちょる事があるかい相談しても良いかえ？」

「相談は聞かんでも判るよ。先ずは早く帰って棟梁に頭を下げる事だ。それに、高校には早々に復学する事。頑張って何としてでも卒業するのだよ。あの高校の校長は俺の知り合いだから、復学願いの時には一緒に行こう」

「やっぱやぁ、センセには全てお見通しじゃわあ。ふぉふぉふぉ」

「よし決まりだ。ノリ君は復学するぞ」

「そりゃ、センセにそんげして言われりゃ、性が無えじゃろ」

武本はくるりと背を向けて、さっきから軽音楽を流している移動販売車に歩き出した。暫くしてソフトクリームを手にして戻って来た。一つを勝平に渡し、

「こんげして絵梨ちゃんにもソフトを買ってやった。祭りの夜に偶然会うたもんじゃかい」

「本当に偶然かな？」

「ふぉふぉ、センセは何でんお見通しやね」

「で、どうした？」

「ふぉ、そりゃ付き合えって言うたわぁ」

「ひぇ、ソフトクリームで誘ったか。絵梨さん、歳は幾つね？」

「ふぉ、センセは踏み込んで来るわね。そん時は17。今は19」

「絵梨が定時制の高校に行きねって言うかい2年間通った。じゃけど数学やら物理の勉強が難かして、いい加減に嫌んなったとよ」

「でも絵梨さんも、親父さんの棟梁も勉強を続けなさいと言うのだろ。絵梨さんはノリ君の事が本当に好きなんだよ。だから将来の為に勉強を続けて欲しいって言うし、棟梁もノリ君が気に入っているから、高校を辞めたら叱ったのだろ」

「うん、みたいなこつかな」。武本は子供みたいにコクンと頷く。

「それなら、またやり直せば良いだけだ」

「うん、まこち。そうじゃね」。軽い調子で応えてまたコクンと頷いた。

人の流れは絶える事が無い。カップルが多くそれが良く似合う風景だ。手を繋いだ者も前を通り過ぎる。

「何じゃろかい、人目気にせんでいちゃいちゃしおって…」と言いながらも、武本は羨ましそうに見ている。

この周囲の風景は、勝平には既に過ぎ去ったものだ。若い時に美恵と出会ったのも観光地だった。遠い過去の記憶が今では切ない。

気を取り直して武本をからかってみた。

「ノリ君は帰って、絵梨さんの顔が見たくなったのだろ?」

「何じゃやげな? センセ、今晩別府で飲もう言うたじゃんけ。俺はもうその気よね。俺が居らんと絵梨や棟梁じゃって淋しかろ。じゃかい、暫く放っちみるもんね。携帯も電源切っちょるもんね」

「驚いた。気を持たせるのか?」

「俺じゃってチビッと意地があるかいね。ふぉふぉふぉ」

皺の多い顔で、例の大きな笑い声を立てる。ソフトクリームが手に垂れた。

「ありゃ、しもた」。武本は慌てて手を舐めたが、今度はクリームの本体がポトリと地面に落ちてしまった。

「うわっ、なんじゃ」と恨めしい顔になる。

「ハハッ、ノリ君、駆け引きみたいな事を考えるからバチが当たった」

「そうじゃわね、センセ。もう別府に行って早よ飲もうや」

武本は小石を一つ、池に蹴り込んだ。


武本は気を使って先を走る。由布院から別府までは30分ほどだ。１６００メートル標高の由布岳を左に仰ぎながら高原の道を爽快に走る。

武本は走りが若い。カーブではナナハンを結構バンクさせる。勝平は無理して追って行くが離される。

武本は直線の路肩で待っていてくれた。

「センセ、別府んホテルは何んちゅう処？」

「駅前のラ・ビィだよ。そこで落ち合っても良いけど、まあ、ゆっくり走れよ」

「あい、判った」。そうは言ったものの、また黄色い革ジャンはあっという間に見えなくなった。

取り残された勝平は、狭霧台で少し息んだ。正面の山々の窪んだ辺りに遠く別府の湯煙りが見えている。背中には由布岳が控えている。

3年前にもこの眺めを美恵と楽しんだ。青い空に一羽の鳥が悠々と飛んでいた。

「あの鳥は何かしら？　結構大きいわ」美恵が眼を細めて言った。

「うん、悠々として孤高な感じだね」

「だけど一羽で、淋しく無いのかしら？」

あの時の会話が心に染みる。周囲には誰も居ない。３年前の会話の続きを写真にそっと話し掛けてみた。

「鳥も孤独が理解出来れば、確かに淋しいだろうね。孤高なんて中々あり得ない事だよ」

言った後で、もう少し雰囲気のあるましな事が言えないのか、と勝平はいつもながらに思う。

また雲が厚くなって来た。夕方には雨が落ちてくるかも知れない。

「降るなら降ればいい。風邪を引いたら治るまで、布団で寝ていれば良いだけの一人の暮らしだ」

投げやりに言って、勝平は空を見上げた。由布岳に雲が厚く掛かっている。まるで頂きで作られている様に雲が湧き興こっている。

その雲は瞬間瞬間で様相を変えていく。その一瞬に美恵の顔が現れた。眼と眼が合った…様に勝平には思えた。

「おっ、やはり。君はこの旅鴉を見ていてくれたのか？」

雲は横に流れ、直ぐに眼は消えた。

「何だかしっかりしろって、眼差しだったなぁ…美恵さん」

納得した口調で言い、勝平はクルーザーのエンジンに生命を吹き込んだ。

暫く走ると武本がナナハンを停めてしゃがみ込んでいた。浮かない顔つきだ。

「センセ、さっき携帯の電源を入れてみたら、絵梨から何遍も電話が入っちょった。どうしよか迷ちょるとよ」

「ははあ、郷ごころが付いたな。顔にかなり大きく書いてある」

「ふぉふぉ、又書いてあったっけ？　悪りいけんど今晩の酒に付き合わんで良いかぇ？」

「ははっ結構な事だよ。早く帰ってあげなさい。結局、旅鴉は何日だった？」

「昨日と今日」

「それは随分と長いねぇ。復学の時は、俺が学校に付き合うよ」

「はい、先生。宜しくお願いします」と畏まって頭を下げ、武本はもどかしそうにナナハンに跨る。サイドスタンドを勢いよく跳ね上げる。

「ノリちゃん、念のためにレインウェアを持って行け。ちゃんと返しに来いよ。また会いたいから」

「センセ、携帯番号を教えて。帰ったら連絡するかい」

武本はメモとレインウェアを受け取り、エンジンを一気に吹かした。

ヒューンというエンジン音と共に次のカーブまで走り、停車して勝平を振り返った。大袈裟に手を振ってよこす。

そして又、エンジンを一気に吹かし、あっと言う間に黄色い革ジャンはカーブに消えた。それを最後まで見つめ、勝平は思わず大声で叫んだ。

「おーい、ノリちゃん、『恋人の丘』で絵梨さんと二人で、特別に頑丈な南京錠をロックしろよぉ。鐘もカンカンカンと何度も叩いてやれ！」

いつしか勝平は眼が潤んでいる。「ふぉふぉふぉ…」と武本を真似て笑ってみた。あの屈託無く抜け抜けとした感じは中々真似出来ない。

由布岳をもう一度見上げた。雲がまた厚くなっている。

「美恵さん。やっぱ、孤高という訳には行かんちゃわぁ。じゃけんど、頑張ってみるしか無いんじゃわぁ……ねっ、そうなんじゃろ？」と、周囲を気にせずに勝平は大声で叫んだ。

クルーザーを降り、後ろのバッグから美恵の使っていた黄色いスカーフを取り出した。右のバックミラーに固く括りつけて発進させる。二速、三速とギアを上げる。エンジンの音が力強くなるに連れ、黄色が軽やかに風になびく。

「美恵さん、寒くは無いかい？」と胸ポケットに語りかけた。勝平は美恵の確かな温もりを胸に感じ、今度は「別府まで20分だからね」と大声で呼び掛けた。

高原にクルーザーの低く太い排気音が暫く響いていたが、やがて山の向こうに消えて行った。

佳作

「鼓くらべ」

中野ふ菜

ご一新で明治の世になって十二年がたった。

二年前にとなりの鹿児島でおこった西南の役では、ここ宮崎県北部も巻き込まれはしたが、それも幸いにして大きな痛手とならずにすんだ。

今年もこうして宇納間詣（もうで）ができることを内藤政義（まさよし）はしみじみありがたく思う。

ここ何年か、政義は南国にもようやく秋が訪れるころ、宇納間に三日ほど逗留するようになっている。

昨年はちょうどのときに台風に見舞われ、来ることが叶わず二年ぶりの訪問になる。

山あいの地域に広がる不揃いの水田では稲刈りが終わり、ところどころ刈り取った稲を天日に干すはさがけが残っている。黄金色のそれはことしも無事農耕がおわったことを意味する。

涼を含む風に政義は目を細める。


政義は、十数年前まで日向延岡藩の藩主だった男だ。江戸末期の動乱を生きのび、ことしは本卦還（ほんけがえ）り（還暦）を迎えた。

「殿におかれましては、還暦を迎えられましたこと、心よりお喜び申し上げます」

宇納間神社の出迎えで政義の顔を見るなり禰宜が深々と頭を下げそう述べた。

明治になって身分制度がなくなり、歴代藩主を務めた名家は華族となった。とはいえ、もうごくありふれた市井の一員になっている政義だが、もと家臣をはじめ近しい周囲はいまもって殿と呼ぶ。

政義は微苦笑しながらその祝賀にこたえる。

「殿、これはようおいでくださいました」

境内の奥で待っていた宮司も、やはり政義のことを殿とよぶ。

宮司は政義が十四の時、生まれ故郷の近江（滋賀県）彦根藩から内藤家の養子としてやってきたときから知っている。もう四十年以上むかしのことだ。

境内西に位置する別棟に通された政義は、くつろいだ様子で縁側に座る。

もみじをはじめとする庭の木々も苔もまだ青々としているなか、政義は生垣の端にちらちらと赤い色が見え隠れしているのに気がついた。

「あれは……？」

冷たい茶を飲みながら、政義は宮司に尋ねた。

「鬼灯でございますよ。どこからか種が飛んできたのでしょう。昨年まではありませんでしたから、もしかして去年のいまごろの台風で飛ばされてきたのかもしれません」

「ほう」

確かに、おととし同じ時期に来た時には気がつかなかったところをみると昨年やってきたのかもしれない。多年草だから一度根を降ろせば翌年以降も同じ場所に自然と芽を出して育つ。

「あれは特に、とても色が良いのですよ」

宮司は人を呼び、鬼灯の実をひとつとってくるよういいつけた。

「りっぱなものですよ」

宮司は受け取った鬼灯を政義に差し出した。手に取った政義は、用心深く袋を割く。

中から大振りで艶やかな、たっぷりした濃い赤色の実があらわれた。

この色……。

政義は、生家である井伊家の赤備え（あかぞな）を思い出した。

「こうして皆に本卦還りを祝ってもらえるとは過ぎた幸せ」

政義はてのひらで鬼灯の実をころころと転がす。

「平穏無事とはいい難いが、いくつかの致命的な困難を何とか乗り越えることができたのは、ひとえに宇納間のお地蔵様のお陰にほかならない」

しみじみと政義はいう。

「ええ。そういっていただけるのはありがたいことですが、そもそも殿の信心が篤いからでございましょう」

宮司は柔和な顔でうなずいた。

「いや。あの件があったから私は信心深くなったのだ」

政義が藩主として国元と江戸を往復していたころ——。

江戸はしばしば火災にみまわれ、大規模な火消しが組織されていたが、数年に一度は大火になった。家屋がひしめく江戸ではひとたび出火すればまたたく間に延焼して大惨事となる。火のまわりは止めようがない。

延岡藩・内藤家七万石の上屋敷は江戸城お堀に面しており、国持大名らしい格式を誇っていた。両番所をそなえた表御門。みごとな海鼠(なまこ)壁に連子窓の二階だて表長屋。この上屋敷は建物裏手の坂にちなんで「三年坂の邸(やしき)」と親しまれていた。

この上屋敷に猛烈な火の手が迫ったことがあった。折からの強風で火は勢いを増し、人力ではとうてい手に負えないほどの状態になっていた。

在勤していた政義は、ひたすら神仏に鎮火を願うよりほかにすべがない。寝食を惜しんでその行に没頭していると、屋敷に忽然とひとりの僧が現れた。

三年坂の方からやってきた僧はひどくみすぼらしい身なりで、目をつむったままひとことも声を発しない。ただただ古びた錫杖(しゃくじょう)をかざし、中に通せという身振りをする。うっすらと煙がただよう中、門番らが追い返そうとしても僧の足は地面に貼りついているかのようにびくとも動かない。

やがて、僧がつむっていた目を開けたとたん、門番らはその異相に驚き、それ以上拒絶することができず、そのまま藩主のいる祈祷の間に引き入れた。というより、制止できなかったというのが正しい。

僧は政義の横に立ち、ともにひとしきり行をすると、やって来た時と同様に三年坂のほうへ去っていった。

しばらくすると煙で黒くなった江戸の空に雨雲がわき、桶をひっくり返したような強い雨が降り始めた。

藩邸まであと一丁（一〇八m）に迫っていた業火はこの雨で鎮まった。

安堵した政義が倒れるように眠りについた夜半、夢の中にあの異形の僧が煤だらけの姿で現れ、自分は領内の宇納間の地蔵尊の化身であることを告白した。

政義は翌朝飛び起きるやいなや、老中に帰国願を出し、とるものもとりあえず国元に戻った。

そして延岡城へ入る前に宇納間に直行し、地蔵尊に詣でた。

以来古びた堂を再建し、助力や供田を寄進するなどしてあのときの霊験に深く感謝し、藩主を退いたあともつきあいが続いているのだ。

「もうひとつ、こうしていま自分がここにあることを感謝しなくてはならない人がいる」

政義は鬼灯をころがす手を止めてそれきり押し黙った。

「……兄上殿のことですか」

宮司が静かに問うと、政義は小さくうなずいた。

「あのような形で死んだ兄を、世間はいまでも極悪人のようにいう」

政義の兄は、井伊直弼（なおすけ）である。

桜田門外の変で水戸藩士らに暗殺された、ときの大老だった。世が移り、江戸の昔もかなたに遠ざかるにつれ、井伊直弼は幕末の極悪人として人々に記憶されるようになった。

明治政府は自身の正当化のため、その端緒となった桜田門外の事変をうまい具合に利用しているのだ。

事変から二十年になるが、兄は歴史の中で鬼畜のような存在として定着した。

元臣下たちですら、政義が井伊家の出であることを表立っていわないのは、直弼をはばかってのことだ。

「兄のおかげなのだ」

政義は誰ともなく反抗するように、きっぱりといった。

＊＊＊＊＊

「政義、もういちど初めから」

直弼は五つ年下の政義に穏やかな口調でいう。

「はい」

政義も素直にうなずいて、鼓を右肩にのせる。

政義十四歳、兄の直弼は十九歳。

母の違う兄弟だが、ともに近江彦根藩・井伊家の十五男と十四男だ。

ふたりは子だくさんの藩家でもひときわ仲の良い兄弟だ。

直弼の、色素の薄い容貌は母親似だろう。細面で涼やかな目をしており、よく通る声をしている。

いっぽう政義は、浅黒く目鼻立ちがくっきりして父親似だ。

だが容貌とは逆にいかにも優男(やさおとこ)風の兄は利発な気丈者で、弟は万事につけおっとりしている。それに政義は幼いころから苦手なもの、暗がりから始まって、跳ねる虫、猪、こんにゃく、雷など――が多い性格で、そのせいか年の割に妙に幼いところがある。

苦手なものは、長じるにつれていくぶん減ってはいるが、何かにつけて他の兄弟にからかわれる口実を与えてしまっている。

唯一すぐ上の兄、直弼だけは何もいわない。

政義がそんな直弼になつくのは当然といえば当然で、特に兄に会うのが楽しみで仕方がない理由はほかにもある。

鼓だ。

兄は大鼓を、弟は小鼓を一緒に打つ。

直弼は多方面に秀で、鼓だけではなく茶道や和歌、禅や兵も熱心に学び、その手前や理解力は並ではない。

直弼にすすめられて鼓を始めた政義だったが、いつもの飽き性がでず、すっかり夢中になった。大小の鼓を自在にあやつる直弼にはまだまだ遠く及ばないが、兄に秋の観月の宴で一緒に鼓を披露しようと誘われて、月に一度はともに稽古に励んでいるのだ。


直弼は優雅な手つきで大鼓をひとつ叩く。

目の覚めるような、その場の空気が軽く弾けるような音が響いた。

鼓は間合と、強く打ったときの余韻を残す打ち方が肝心だ。

続いて政義が小鼓を叩いたが、音は高いものの余韻が残らない。

「打つ前にどこを打つか決めておくのだ」

「はい」

政義は兄にいわれたとおり、ねらって鼓を打つ。だが、放たれたのは響くどころか、かすれた、打ち損じの音だ。

「指に余計な力が入っているのではないか」

直弼の指摘に政義は首をかしげ、もう一度打つ。結果は同じだ。

政義は何度も同じことを繰り返す。

直弼は何もいわず、弟の手さばきじっと見ている。

春先でまだうすら寒いというのに、高揚してきた政義は額に汗をにじませている。

もともとが粘り強い性格なのだ。というより政義の唯一の取り柄は粘り強さだけ、ともいえた。

深く考えたり追求することが苦手で、面倒くさいことはすべて周りの者に任せてしまう反面、愚直に同じことを繰り返すことをいとわない。

兄は弟のそんな気質をよく理解していて、政義の繰り返しを根気強く待つ。

ぽんっ。

数十回の打ち手ののち、軽やかでふっくらした音が飛び出した。

「できた！さあもう一度」

直弼は膝を打って喜び、政義を励ます。

政義は嬉しくなって、できたときと同じ動作を試みる。求めている音は五回に一度鳴り、そのうち三回に一度鳴るようになり、一時（いっとき）もすると叩く音すべてがそうなった。

政義が汗をぬぐい、水を飲む姿に直弼は目を細める。

「では、私と一緒に」

ふたつの心地よい鼓の音はそれからしばらく屋敷に響いた。

＊＊＊＊＊

直弼と政義の兄弟が、藩主である長兄・井伊直亮（なおあき）より江戸屋敷に参上するよう達しがあったのは天保五年（一八三四年）七月のことだった。

両人とも理由は知らされず、急ぎ参れ、とだけしか聞かされていない。


「よう参った」

江戸在府の藩主・井伊直亮ははるばるやってきた弟二人をねぎらいつつ、さっそく招いた理由を告げた。

「養子の話じゃ」

直亮はふたりのどちらとも目を合わさずにいった。

嫡子ではない男子にとって、養子の口は何にしろありがたい。

「延岡藩・内藤家が養子を求めておられる」

日向国延岡といえば九州の南。どんなところなのか、見当もつかない。ひとつだけわかっていることは、近江からひどく遠いことだ。

直弼と政義は顔を見合せた。

「まあ彦根からはずいぶん遠いが、寒いよりは暑いほうが良かろう」

直亮はたわいのないことをいったあと、急にひそみ声になった。

「実は……藩主・内藤政順殿はご病状が篤い。……が、嗣子がいらっしゃらないのだ」

跡継ぎがいないまま藩主にもしものことがあれば改易、いわばお家断絶になってしまう。

今回慌てて養子を探しているところをみると、事態は差し迫っているようだ。いや、もしかしてもう藩主は亡くなっているのかもしれない。

そういう場合、当面病気ということにしておき急いで養子縁組をととのえ、そのあと何食わぬ顔で死去を届け出ることは時々ある。幕府もそれを知りつつ目をつむって相続を許可する場合もある。むろん、裏方の周旋がうまくいかず、あっけなくお取りつぶしになることもある。

「こちらによい養子候補がおらぬかと内々に聞かれて私は直弼を推した」

直亮が低い声のままいうと、直弼は目を伏せた。

聡明で利発な直弼だが、十九になるというのに養子のもらい手がない。理由は、庶子であるからだ。他の兄弟であまりできの良くない者でも、正妻の子であるというだけで養子の口はすんなり決まっていく。

養家が欲しいのは血筋であって、本人の資質は二の次なのだ。むしろ自分の意見を持たず、まわりに任せるだけのお飾り藩主のほうがよほど扱いやすい。あとは、子どもさえ作ることができれば問題はない。つまるところ動物の本能さえあれば良いのだ。

直弼はその点できすぎた。

幼いころは子柄が良いとずいぶんもてはやされたが、長じてくる何ごとにも秀でているがゆえにむしろ敬遠されてしまう。

三年前に父が亡くなり、長兄が家督を継いで藩主になっても直弼は他家に迎えられることなく部屋住みのまま日々を過ごしている。

部屋住みの存在理由はひとつだけ。家督相続が途切れそうになる「まさか」のためだけに生きるのだ。

ただ、直弼は十四男坊だからその「まさか」がやってくる可能性は低い。

直弼はそのことをよくわかっている。

「……ありがたきことと存じます」

直弼の横顔はいつもより白い。

いっぽう養子の話がはじめての政義は、顔をやや紅潮させ口を真一文字に結んでいる。

年の順からいけば確かに直弼が適当だろう。だが、なぜ自分もこの場に呼ばれたのか。

それを察したかのように、直亮は続けた。

「ただ、先方はすぐ下の弟政義も見てみたいとおっしゃる。実際ふたりに会って決めたいと」

本人たちを呼んで直接品定めをするなど、ずいぶんあからさまで品がない。

しかし直弼は知っている。

ほんとうは逆なのだ。

政義を養子に、という内藤家の申し出に直亮はあえて自分を推したのだろう。

以前から直亮が部屋住みである自分のことを不憫に思っているということを聞いたことがある。

延岡藩重鎮らが聡明で美しい直弼を実際に見れば庶子であっても気持ちを変えるかもしれない、と直亮は期待しているのだ。


「それでふたりにはあさって昼過ぎに延岡藩上屋敷に行ってもらうのだが」

そこまでいうと、直亮はひとつ息をしてからいいにくそうにいった。

「鼓を披露して欲しいのだ」

目を伏せていた直弼の視線がわずかに上がった。

「許せ。わしが余計なことをいったからなのだ。何か得意なことはないかと聞かれ、どちらも鼓をやっているといってしまったのだ」

実際そうなのだから直亮がいったことはまちがっていない。

「内藤家の家老殿が鼓好きで、せっかくだから二人に鼓を打ってもらおうということになったのだ」

「鼓くらべでございますね」

直弼が小さな声でいった。

「いや、くらべるというほどのことではない。余興のうちだ」

直亮はわざと明るい声で打ち消すが、内藤家の思惑は透けてみえている。


江戸の夏はにぎやかだ。

庶民は暑さをいとわず、むしろ面白がっているようだ。

民家の軒下で風鈴がチリンと夏の音を鳴らし、たらいの水に小玉の西瓜が浮かぶ。往来の朝顔はすっかりしおたれてしまっているが、橋のたもとでは松宵草が夕方を待ちながら川風に揺れている。

その景色を横目にふたりは足早に歩く。

麻の半裃（かみしも）の直弼の姿は涼やかで美しく、行きかう人々が振り向くほどだ。

そんな兄の姿を政義は眩しく見つめ、誇らしげに思う。


一行は三年坂の藩邸上屋敷に到着すると、さっそく広間に通された。

広間の上座にはむろん藩主の姿はないが、家老らしき年配の男と十人ばかりの藩士が座り二人を待っていた。

鼓がふたつ用意してある。


若者ふたりのどちらを次期藩主として迎えるか、ひとびとは好奇の目で兄弟を見つめる。

「ようおいでくださいました。藩主はあいにく病身のため襖の向こうにて失礼つかまつりますが、お二人を歓迎しておりまする」

しわがれ声の家老が声をかけると、ふたりはそろって深々と頭をさげた。

ただ、政義の顔色がすぐれない。

襖の向こうの藩主はもう亡くなっているのではないか、本当は死人がいるのではないか、と思うと政義はこわくてたまらない。

もともと怖がりな性格なのだ。

政義がいままでに死人を見たのは一度だけ。

それは父だったが、当時十一歳だった政義はかなり動転していてあまり覚えていない。ただ、白い装束の袖からのぞいていた手の甲の、色の悪さが忘れられない。

あの襖の向こうに同じ色をした死人が横たわっていると思うと、気分が悪くなってくる。

鼓の準備が始まると、政義は小刻みに震えだした。

「政義、大丈夫か」

見かねた直弼が顔をのぞきこむようにしてたずねる。

「兄上、あの襖の向こうの殿様は本当に鼓を聞いていらっしゃるのでしょうか」

「……」

「なきがらの前で鼓など叩いたりしたらバチ当たりで、何か悪いことでも起こるのではと恐ろしくてなりません」

政義はいまにも泣き出しそうな顔で訴える。

鼓の準備がととのい、さあ、という段になったとき、にわかに強い風が吹き始めた。気づけは空も急に暗くなっている。

夕立だ。

きのうも同じくらいの時間に夕立がきて、激しい東風とともに驟雨になった。東夕立は三日続くというから、きょうはその二日目だ。

瓦を叩く雨音とともに屋敷を風が吹き抜け、襖をカタカタと鳴らす。屋敷の使用人が慌てて雨戸を閉てようと廊下を早足で歩く。

やがて短い光がひらめいたかと思うと地響きと同時に雷が鳴った。

とたんに政義はぎゃっと叫び、手に持っていた鼓を放り出して耳をふさぐと廊下に飛び出した。

そばに控えていた彦根藩の従者があわててそのあとを追い、延岡藩家臣たちは呆気にとられている。

いっときもすると何ごともなかったかのように夕立は去り、湿気を含んだ昼下がりが戻ってきた。

しばらく廊下の端にはりついていた政義は従者では手におえず、結局直弼に手を引かれて広間に連れ戻された。

政義は身を縮めてうなだれている。

今さら鼓くらべを再開する雰囲気ではない。

家老が何ごとかをいおうとしたとき、直弼が進み出た。

姿勢を正して座り、政義を冷笑する延岡藩の臣下たちに頭を下げながらも朗々とのべた。

「恐れながらこの鼓くらべ、勝ち負けをつけるとするならば政義の勝ちでござりまする」

泣いて鼻の頭を赤くしている政義は驚いて兄の顔を見つめる。

「襖の向こうにいらっしゃる病身のお殿様には鼓の音がお体に障るのではないか。政義はそれが心配でならず、遠慮すべきではないかと思いつつこの場に臨んでおりました。さあというときにいきおい風が吹き、動転したのは真正直な彼の気遣いゆえのもの」

家老を含め一同、しんと黙っている。

直弼はさらに続けた。

「それにひきかえ私は、何があろうと鼓くらべに勝とうとそればかりを思っておりました。逆に申せば、殿様のお体の具合を全く気にかけない不届き者でございます。お赦しくださいませ」

結局鼓くらべは後日も行われず、そのひと月後延岡藩からやってきた使者は、政義と養子縁組する旨を伝えた。

「兄は私に譲ってくれたのだよ、延岡藩の跡取りを。あのような失態をおかした私を放っておけば、まちがいなく兄が養子に選ばれていたに違いないのだ。万いち、夕立が来ず、予定通り鼓くらべが行われていたとしても、おそらくきっと延岡にやって来たのは兄であったと思う」

政義はてのひらの鬼灯から目を離し、かなたの空に浮かぶうろこ雲を見てつぶやくようにいった。

「そうであったなら……兄はあのような最期をとげることはなかったであろうに」

義政は唇をかみしめる。

「自分は多少の波にもまれながらもこの年まで生き延び、まがりなりにも平穏を手に入れた。それがひどく後ろめたいのだ」

宮司は小さくうなずいた。

「運命というものは数奇なものでございます。兄上殿は、あれからずっと部屋住みの身に甘んじ、ただただ、井伊家の万いちのためにのみ存在されました。しかし驚くべきことにその万いちが十数年後に本当にやってこようとは」

直弼は三十五歳で彦根藩主となった。

埋もれた前半生を取り戻すかのようにみごとな手腕で藩政改革を行い、それればかりでなく江戸城では卓抜した気力と知力をいかんなく発揮して大老にまでのぼりつめた。

「一国の藩主の器ではなかったということでしょう」

そういって宮司は微笑む。

「直弼殿はあの困難に満ちた激動の時代に忽然と現れ、あっという間に去っていかれました。ご一新はいまを時めく中央の人々だけがなしたものではありません。あの雪の日、直弼殿が桜田門外で討たれたことが回天の原動力になったとすれば、国難を乗り切るために情熱を傾けておられたご本人にとって、はからずもその通りになったのではありますまいか」

「回天の原動力……」

「あの鼓くらべのときから、それは定まっていたのでございましょう」

「鼓を」

政義は従者に声をかけた。

隣の間で控えていた従者は、風呂敷包みの中から古めかしい鼓を取り出して、政義に差し出す。

「この鼓は私が彦根藩を離れるとき、兄上からいただいたもの。江戸と国元を何度往復したことか。そう、あの火事のときも、ともに難を逃れた」

そういって政義は鼓を肩にのせ、息をととのえるとひとつ打った。兄直弼への畏敬と愛惜をかみしめながら。

ぽんっ。

音の波動が宇納間神社の境内に広がり、赤い鬼灯のひとつがわずかに揺れた気がした。

政義の死後、明治二十八年（一八九五年）の大火で神社の堂は焼けてしまったが、火伏の霊験あらたかかな、尊像は奇跡的に焼失を免れ今に至っている。

佳作

「逃げ水」

黒木俊行

夏休みが明けて二日が過ぎた。開け放した窓から、蝉の鳴き声が教室に届く。

教壇には、歴史の授業を担当する岡部が立っている。

岡部は二学期最初の授業内容について説明を始めた。それは「二人一組の班で、百済王伝説について調べ、ポスター発表をする」という内容だった。

美郷町の中学生にとって「百済」は、馴染みのある言葉だ。町を見渡せば、いたるところで「百済」という文字を目にすることが出来る。西暦六六〇年、百済の内乱から逃れてきた禎嘉王が、今の美郷町に隠れ住んでいたという伝説は、『百済王伝説』として語り継がれてきた。

「二人一組の班は、くじ引きで決めるぞ」

岡部の「くじ引き」という言葉に反応して、教室が騒がしくなった。そんな中、上田圭介は、ひとり浮かない顔をしている。

上田は半年ほど前に美郷町に引っ越してきた。父親の仕事の都合で、これまでに転校を何度も経験している。そのたびに交友関係がリセットされるため、友達をつくるのが次第に面倒に感じていた。美郷町に来てからも、同級生と積極的にコミュニケーションをとらなかったため、親しい友人がいなかった。

岡部は生徒の席をまわり、くじを引かせる。上田はビニール袋からくじを一枚引いた。四つ折りにされた紙には、数字の六が記入されている。

岡部はくじを配り終えると、誰がどの番号を引いたのか確認を始めた。

「次、六番を引いた人は？」

岡部は教室を見渡す。

「はい！」

元気よく挙手したのは、染谷由美子だった。ショートカットの黒髪が風になびいた。ぱっちりとした大きな瞳が魅力的な生徒だ。

染谷に続いて、上田も「はい」と手を挙げた。

岡部は二人の顔を確認し、班分け表の紙に生徒の名前を記入する。

班分けが終わると、各班に別れて百済王伝説について調べることになった。

「パソコン室と図書室は予約してあるから、自由に利用していいぞ」

岡部の声は、教室の喧騒に埋もれた。

着席している上田の前に、染谷がやってきた。

「上田くんと喋るの初めてやね。よろしく」

染谷は笑顔で言った。

「よろしく」

上田は控え目に挨拶を返した。休み時間は一人で本を読んでいることが多いため、同級生と喋るのは久しぶりだった。上田は平静を装っているが、緊張していた。

「どこで調べると？」

染谷は明るい声で訊いた。

「染谷に任せるよ」

上田は、そう答えるのが精一杯だった。

染谷は天井に顔を向け、考える仕草をする。

「上田くん、読書が好きやろ?」

「うん」

上田は頷いた。

「それなら、図書室に行くが」

二人は教室を出て、図書室へ向かった。


図書室の本棚の一角には、百済王伝説や天孫降臨など宮崎県の郷土史に関連する本が並んでいる。

染谷は百済王伝説について書かれてある本を手に取って言った。

「この本でいい?」

「いいよ」

上田は答えた。二人は読書スペースへ移動し、空いている席に座った。

「百済王伝説について、どれくらい知っちょっと?」

染谷は訊いた。

「ほとんど知らないよ」

「まあ、そうだよね」

「染谷は詳しいの？」

「上田くんよりは詳しいっちゃない」

染谷は得意げな顔で上田を見る。

二人で一冊の本を読んだ。相手の読む速度に合わせながらページをめくる。

「上田くん」

不意に声を掛けられ、上田は本から顔を上げた。

「なに？」

「次の日曜日、暇やろ？」

「え、なんで？」

「西の正倉院に行ってみるが」

染谷は本を指差しながら言った。そのページには、西の正倉院の写真が載っていた。

「ポスター発表なんて本とネットで調べれば充分だろ」

上田は素っ気ない態度で答える。わざわざ休日を潰したくなかった。

「ぜったい行ったほうがいいよ。どうせ暇してるんやろ？」

「勝手に暇って決めつけるなよ」

「ごめーん。なんか予定あると？」

染谷は訊いた。

上田は、すぐに言葉が出てこなかった。お互いに視線を合わせて沈黙する。

「ずっと家にいるよ」

上田は視線を逸らして言った。

「やっぱり暇じゃん」

「だから、暇って決めつけるなよ。日曜日は、録画してるアニメ観たり、ネットサーフィンしたり、大忙しだ」

「そういうの、暇を持て余してるって言うとよ」

染谷は、からかうように言った。

上田は美郷町に来て以来、休日に同級生と出掛けたことがなかった。自分から遊びに誘うこともなければ、誘われることもなかった。誰かと一緒にいるより、家に居る方が居心地がよかった。

「うちが案内するかい、行ってみん？」

再び染谷は上田を誘った。行くと言うまで引き下がらないつもりだろう。

「行くよ」

上田は、渋々といった感じで答えた。

「ありがとう」

染谷は、ぱっと明るい顔になった。

「じゃあ、十時に神門神社前のコンビニ集合ね」

染谷は言った。

「わかった」

「ぜったい遅刻せんようにね」

授業の終わりを知らせるチャイムが図書室に鳴り響いた。


日曜日の朝が来た。

玄関のドアを開けると、蒸し暑い空気が上田の躰を包んだ。今朝の天気予報では、厳しい暑さになると伝えていた。

上田は自転車を走らせる。しばらくすると、待ち合わせ場所のコンビニが見えてきた。染谷はベンチに腰掛け、ヨーグルッペを飲んでいる。

「上田くん、遅いよ」

染谷は、わざとらしく怒ったような態度をとった。

上田は腕時計を見る。九時五十分。

「ま、まだ集合時間の十分前だよ」

上田は戸惑いながら言った。染谷は上田のリアクションを楽しんでいるようだ。

二人は、肩を並べて歩き出した。

石で造られた鳥居をくぐり石段を上ると、正面に神門神社の本殿があった。辺りは背の高い木々が生い茂っている。

本殿を東へ進むと西の正倉院が見えてくる。

西の正倉院は、全高十三メートルほどあり、四階建てのビルに匹敵する。

これまで宮内庁が門外不出としてきた正倉院図を元に、屋根瓦や柱など、すべての部材を奈良の正倉院と寸分の違いもなく再建された。

「すごい迫力だね」

上田は西の正倉院を見上げて言った。

「来てよかったやろ？写真だと、この迫力は伝わらないとよ」

「そうだな」

上田は建物の外観を眺めた。スケールの大きさに圧倒される。三角形の木材を積み上げることで、鋸歯状の外壁を造形していた。

「ここで問題です」

クイズ番組の司会者のような調子で染谷が言った。

「あの床柱一本の値段は、いくらでしょう？」

急にクイズを投げかけられて、上田は困ってしまった。

「えっと……二十万円くらい」

上田は戸惑いながら答えた。

二人の間に少しの沈黙が流れる。染谷は感情の読めないような表情をしている。

「残念！正解は二百万円でした」

「え、そんなに？」

「うん」

染谷は頷いた。

床柱は直径約六十センチメートルあり、樹齢四〇〇年以上の木曽の天然檜が使用されている。そのため、床柱一本の値段も高くなるのだ。

「ちなみに総工費は、十六億円するんやって」

「そんなこと、よく知ってるね」

「まあね」

染谷は得意げな表情で言った。

「あっ」

不意に上田が声を上げた。染谷は上田の視線を追う。そこには、紫色のバスローブのような服を着た男が立っていた。

男は金の飾り物が付いた絹帽子をかぶり、口のまわりには立派な髭を生やしていた。服には金糸の刺繍が施されている。

「あの格好すごいね」

上田は遠くの男を見据えながら言った。

「あれ官服っていうとよ。朝鮮王朝時代に偉い人が着てたと」

「てことは、あそこに立っているのは禎嘉王？」

「そうだと思う。ここには何回か来ちょっけど、禎嘉王の格好してる人、初めて見た」

西の正倉院をＰＲするために、従業員が禎嘉王のコスプレをしているのだろうか。炎天下で官服を着たら熱中症になるのではないかと上田は心配になった。

「記念に禎嘉王と一緒に写真撮らん？」

染谷は上田に言った。

「いいよ」

上田は答えた。二人は禎嘉王の立っている場所へ向かった。

「すいません。一緒に写真撮ってもらえますか？」

染谷が笑顔を作って言うと、禎嘉王はこくりと頷いた。

二人はカメラのシャッターを押してくれそうな人を探した。すると、色褪せした紺色のキャップを被ったお爺さんが二人の近くを通った。

染谷はお爺さんに声を掛ける。

「すいません。カメラのシャッター押していただけますか？」

「おお、よかど」

お爺さんは、快く引き受けてくれた。染谷はスマホをお爺さんに渡す。

西の正倉院を背景にして、禎嘉王の両隣に二人は立った。

「はい、チーズ」

お爺さんの声の直後にシャッター音が鳴った。

「ありがとうございました」

染谷はお爺さんにお礼を言った。

お爺さんは「おう」と応えて、その場から立ち去った。

「立派な官服ですね」

上田は禎嘉王に声を掛けてみたが、無反応だった。禎嘉王は、ぼんやりとした表情で遠くを見つめている。近くに立っているのに、声が聞こえなかったのだろうか。上田は不思議に思ったが、再び声を掛けることはしなかった。

「写真ありがとうございました」

染谷は禎嘉王にお礼を言った。禎嘉王は染谷を一瞥し、ゆっくりと頭を下げた。

二人は西の正倉院の階段を上った。

建物は、北倉、中倉、南倉の三倉から構成されており、床や壁や天井にいたるまで、すべてが天然檜で造られている。

展示物には、数多くの宝物や百済王族の歴史伝説が詳しく紹介されていた。

「倉の中もすごいね」

上田は辺りをきょろきょろと見渡しながら言った。

「でしょ。奈良の正倉院は外観までしか見学できないけど、ここは倉の中も見学できるとよ」

「へぇー。すごく得した気分だよ」

上田は満足そうに言った。

ショーケースの中に『唐花六花鏡』が展示されていた。百済王族の遺品といわれ、奈良の東大寺大仏殿の台座から出土した銅鏡と同じものである。

「綺麗だね」

上田は美しい花の文様に、しばらく見惚れた。


西の正倉院の見学が終わり、二人は外に出た。

強い日差しに上田は目を細める。倉に入る前より気温が上がったように感じた。

染谷は掌で顔のまわりを扇ぎながら口を開いた。

「暑いね。ちょっと休憩せん？」

「そうだね。神社の木陰に行こう」

上田が言うと、染谷はこくりと頷いた。

神門神社の木陰を目指して二人は歩き出した。が、すぐに染谷は足を止めた。

「どうしたの？」

上田は訊いた。

「禎嘉王おらんね」

先ほど禎嘉王と写真を撮った場所に二人は立っていた。辺りを見まわしても禎嘉王の姿は確認できなかった。

「暑いからもう帰ったんじゃないのか」

上田が言った。禎嘉王は殺人的な日差しから逃れたのだろう、と上田は思った。

「そうかもね」

染谷は納得した様子で頷く。

二人は再び歩を進めた。

境内に入ると砂利を踏む音が辺りに響いた。石段のそばに置いてある石灯篭が木漏れ日に照らされている。

木陰の中へ入ると、ときおり心地よい風が吹いた。

「上田くんって普通に喋れるとやね」

染谷は木にもたれ掛かりながら言った。

「急にどうしたんだよ」

「上田くん、教室じゃ全然喋らんやろ。もっと気難しい人だと思ってた」

「別に普通だよ」

上田は素っ気なく答えた。

教室では、目立たないようにしてきた。それが上田にとっての普通だった。

誰かと一緒に居ると気を使うし、ケンカだってするかもしれない。上田は面倒ごとに巻き込まれるのが嫌だった。

「うちもね、上田くんと同じで、ここに引っ越して来たとよ」

「えっ、そうだったの？」

上田は驚いて目を丸くする。

「六年前に美郷町に来たと」

染谷は懐かしそうに言った。

「うちも転入してきた当時は、全然喋らんかったとよ。すごく人見知りだった。だから、上田くん見てると、昔の自分を思い出すっちゃわ」

「うそだ」

上田は言った。今の染谷からは、想像も出来なかった。

「うそじゃないよ。上田くんみたいに休み時間は読書ばかりしてたんだから」

六年前の染谷を想像して、上田は噴き出した。つられて染谷も笑った。

染谷の内気な性格は、この町の人たちと交流していくうちに自然となくなっていた。今ではすっかり明るい性格になり、クラスの中心的な存在になっている。

「さっき撮った写真送りたいから、連絡先交換せん?」

染谷は自分のスマホを上田に見せながら言った。

「いいよ」

上田はポケットからスマホを取り出す。美郷町に来て初めて同級生と連絡先を交換した。連絡先を交換するくらい同級生なら普通のことなのに、上田の心拍数は上がっていた。

「いま、写真送るね」

染谷はスマホの写真フォルダを開いた。禎嘉王と一緒に撮った写真を表示した。

「いない」

染谷は画面を見ながら言った。

「えっ?」

「禎嘉王がいない」

染谷はスマホの画面を上田へ向ける。そこには、西の正倉院を背景にして上田と染谷が並んで映っていた。なぜか一緒に写っているはずの禎嘉王の姿は消え、上田と染谷の間には人ひとり分の空間が出来ていた。

「どうなってるんだ」

上田は怪訝な表情をした。

二人は顔を見合わせる。状況が理解できず、頭が混乱する。

「上田くん、禎嘉王見たよね？」

「見た」

上田は大きく頷く。

あのとき、確かに禎嘉王と一緒に写真を撮った。しかし、スマホの写真には上田と染谷の二人しか写っていない。

「うーん。意味わからん！」

染谷は叫んだ。

「ちょっと、落ち着いて」

上田は興奮する染谷をなだめた。

「カメラが壊れたのかなぁ」

染谷は独り言のように呟いた。それはないだろう、と上田は思ったが、口にはしなかった。仮にカメラが壊れていたとしても、禎嘉王だけいなくなるのは不自然だ。

二人は黙り込んだ。遠くで鳴いている蝉たちの声が、やけに大きく聞こえた。

神社の石段を下りて左に曲がると、極彩色に彩られた百済の館が見えてくる。

百済の館は、韓国の古都『扶餘』の王宮跡に建つ『客舎』をモデルに復元された。梁や軒を埋め尽くす赤や緑の塗料は丹青といい、韓国では神社や工芸品などに使われている。

館内は百済文化を紹介する資料やチマチョゴリの試着コーナーなどがあった。染谷はスマホのカメラで展示物の写真を撮るのに夢中になっている。

上田の横を色褪せした紺色のキャップを被ったお爺さんが通った。

禎嘉王と写真を撮ったときにシャッターを押してくれたお爺さんだった。

「すいません。先ほど西の正倉院の前で写真を撮っていただいた者なんですけど」

上田はお爺さんに声を掛けた。

「おお、なんや」

「さっき撮った写真を見ていただけますか？」

上田は染谷に目配せした。染谷はスマホの画面をお爺さんに向ける。

「よく撮れちょんなぁ」

お爺さんは満足そうに呟いた。禎嘉王が写真に写っていないことに対して、驚いている様子はないようだ。

「この写真を撮ったとき、二人しかいませんでしたか？」

上田は訊いた。

「二人じゃったよ」

お爺さんは、質問の意図が読めず首を傾げる。

「二人……ですか。禎嘉王の格好をした人も一緒にいませんでしたか？」

「そんな奴は、おらんかったど。お兄ちゃん、おかしなこと言うねえ」

「でも、俺たち禎嘉王と三人で写真を撮ったはずなんです」

「幻でも見たんじゃないとね」

お爺さんは、からかうように言った。上田は納得のいかない顔をしている。

「まぁ、美郷は謎の多い町やからね。それじゃあ」

お爺さんは、くるりと背中を向けて、通路の先へと歩いていく。

「うちらしか見えてなかったみたいやね」

染谷は、ため息交じりに言った。

二人は禎嘉王が消えた現象についてしばらく考えた。しかし、これといった答えは浮かんでこなかった。

頭の中に白く靄がかかったみたいに、次第に禎嘉王の記憶が曖昧になっていった。

百済の館の見学を終えた二人は、駐輪場へとやってきた。

上田は自転車の鍵を開け、サドルにまたがる。サドルは太陽の光を浴びて熱くなっていた。

「いろいろ案内してくれてありがとう」

上田は染谷にお礼を言った。

「どういたしまして。ポスター発表頑張ろうね」

「うん」

上田は頷いた。

「じゃあ、また明日ね」

染谷は手を振って、自転車を漕ぎ始めた。国道沿いを走る背中が小さくなっていく。

唐突に「染谷と一緒にいたい」と上田は思った。なぜそんな気持ちになったのか、自分でも分からなかった。一人で居ることには慣れていたはずなのに、今は一人でいるのが寂しい。

明日、学校に行っても、今日みたいに上手く喋ることが出来るだろうか。いろいろな感情が絡み合って、胸が苦しかった。

上田は自転車を漕ぎ始めた。染谷と反対の道を進む。

生ぬるい風が顔を撫でた。夏の空には、白い飛行機雲が一本の線を描いていた。

太陽に照らされたアスファルトの熱気が躰に伝わる。Tシャツが汗で背中に張り付いた。あまりの暑さに頭がぼんやりとした。

遠くのアスファルトの道に、水たまりのようなものが見えた。

それは蜃気楼の一種の逃げ水だった。

水たまりに近づこうとすると一緒に動いているように見え、いくら追いかけても、そこに追いつくことはできない。

水たまりは一定の距離を保ったまま、逃げるように動いていく。

一瞬、上田の視界が揺らいだ。

遠くでゆらめく水たまりの上に、禎嘉王が立っていた。

紫色の官服が発光しているかのように輝いている。

「待って」

思わず声を上げた。

禎嘉王に追いつきたくて、自転車のペダルを強く踏み込んだ。

車輪は悲鳴をあげながら回転する。

しかし、いくら追いかけても、追いつくことはできない。

汗が額から流れる。

呼吸は乱れ、体力は限界に近づいていた。

その時だった。

不意に禎嘉王は、虚空へ消えた。そこには、乾いたアスファルトだけが残った。

佳作

「破片」

山﨑健史

「今、幸せか」

そう聞かれれば、幸せであると思う。

けれど、自分の過去に納得しているかというと、そうでもない。

「完璧な人生などない」

誰の言葉か、はっきり覚えていないが、真実だと思う。誰だって、過去の自分に後悔したり、もどかしい気分になったりすることはあるだろう。


それは年の瀬のことだった。

昨晩の仕事納めの後、同僚たちと痛飲した。一年の憂さ晴らしだ。しこたま飲んだアルコールのせいで酷く頭が痛む。

朦朧とする意識の遠くで電話のベルが鳴っている。ベルの音が鳴りやむと、何かに受け答えしている妻の久乃の気配が感じられてきた。

彼女が僕を揺り起こす。

「田口さんという女性の方から……。お義父さんが倒れたって」

布団の温もりから抜けたくないという葛藤と闘いながら受話器を受け取る。

「はい……。お電話かわりました」

痛む頭を振り、重たい瞼をこする。酒焼けですっかりかすれてしまった声で応じると、相手の声の主は一方的に話はじめた。

「久楽浩一君？　お久しぶりね。お父さんがね、昨晩倒れたの。これから手術だから、詳しいことはその後だと思うんだけど、こっち、来られるよね。空港まで迎えに行くから、乗る便が決まったら連絡くれる？　私の携帯番号は090—〇〇〇〇—××××」

電話の主は、僕の中学時代の美術教師で、今は父と一緒に暮らす田口香織だった。突然のことに加え、意識も低調気味であったことから、彼女が話す内容がすんなりとは頭に入ってこない。父とは、母との離婚後、絶縁状態同然となっていて、何年も会っていなかった。父に会うことに逡巡している自分がいる……。

年末年始は、久乃の新潟の実家で過ごすことが、我が家の年中行事になっていた。

高校時代に母親を亡くした彼女の家は、父一人娘一人の家庭だった。彼女が大学入学のために上京して以来、新潟で、義父が一人侘しく暮らしていた。そんな義父にとっては、僕たち家族と過ごせる年末年始が何よりも楽しみなのだ……。今年も首を長くして、僕たちの来訪を楽しみにしているのに。

そんな言い訳めいた思いが胸の内を駆けめぐる。

「こんなときも、相変わらず、こっちの気持ちや都合を全く忖度しないで……」

二日酔いの気分の悪さもあって、そう小さく毒づき、舌打ちしながら受話器を置いた。

気づくと背後に久乃が立っていた。朝の小さな喧噪で目を覚ましてしまった息子の一也を抱きあげ、あやしながら僕に言う。

「お義父さん倒れたの？　行ってきなよ、宮崎……。もう五年も会ってないでしょ」

自分の気持ちに整理と踏ん切りをつけることができず、受話器を置いた電話を見つめる僕に、彼女は続けた。

「お義母さんも亡くなって、浩ちゃんにとってたった一人の親だよ。行かないと絶対後悔する。だから行きな、ね」


年末年始の帰省ラッシュのピークとも重なり、航空券の入手に難儀するのでは、と危惧していたが、翌日の朝一の便をとることができた。

何とかチケットは入手できたが、年末の羽田は人の波でごった返していた。大きなバッグの他、土産袋を手にしている人たちの姿がやたらに目につく。正月休みを旅行で、という人たちもいるにはいるだろうが、大半の人たちは帰省客だろう。

多くの人たちが普段都会に暮らし、年に数度の大きな休みのときだけ、生まれ育った故郷に帰っていく。こういった風景を見るにつけ、世の政治家や有識者たちが謳う、東京の一極集中に歯止めをかけるための地方創生というかけ声が、実は切実な問題なんだと実感する。


飛行機の旅は列車のそれよりも旅情の少ないものだと思う。機内の小さな窓から覗く景色は、雲、雲、雲。ずっと同じだ。僕にとっては手持無沙汰な時間。いつもなら、何冊かの本を持ち込むのだが、この日は何もする気がおきなかった。些か煩雑な搭乗手続きを済ませ、自分の狭い座席に座ると、そのまま目を閉じた。

五年前のことを思いだしていた。

その年に久乃と結婚して、はじめて夫婦二人で里帰りをした日、父と母から、自分たちが離婚するつもりであることを告げられた。いわゆる熟年離婚ってやつだ。

離婚を最初に言い出したのは母であったらしい。残りの人生を、自分のしたかった研究に費やしたいと……。

父の洋三と母の房江はともに県立高校の教師で、二人は職場結婚だった。父は美術教師、母は社会、日本史の教師であった。

二人とも熱心な教育者というタイプではなく、どちらかといえば学究肌。つまりは目指すべき道が金を生み出すものではないため、日々の生活の方便のために教師という職に就いているという手合いである。

そんな不本意な境遇からいち早く脱したのは父であった。僕が高校に入る年、父の作品が日本陶芸展の大賞を受賞したのだ。

「五十にして天命を知る」

そんな言葉を地でいくように、父は教師の職を辞め、専業の陶芸家となった。

とはいえ、決して安定的な収入がある職ではない。僕が安心して、高校、大学に進めたのは母の仕事のお陰である。

父や僕のために送った前半生。人生の後半は思いっきり自分のために生きて欲しい。心の中ではそう思っていたが、この離婚話を、僕はすんなりと受け入れることができなかった。それは、父の新しい生活が僕の想像を遥かに超えたものであったからだ。

父は陶芸家として更なる高みを極めるため、宮崎県の美郷町とかいう片田舎に引き籠るというのだ。決して利便性の良い場所ではないため、そこに弟子の一人を連れていくという。

それが、父の主催する陶芸教室に生徒として通っていた田口香織であった。

その陶芸教室は、父が日本陶芸展大賞を受賞した年からはじまっていて、その一期生であった田口香織と父との付き合いは約二十年近くにわたる。その間、二人の間に何があるのか、あったのか、聞くのも憚られ、知るつもりもなかったが、とにかく今、二人はともに暮らしている。

宮崎に引き籠る父と反対に、母は卒業した大学の研究生となるために上京した。

生まれ育った家は売られ、僕は新しい家庭を手に入れたその年に、慣れ親しんだもう一つの家庭を失った。

母はこの離婚から三年半経った昨年、亡くなった。乳がんだった。どうやら自分の余命をわかっていたようだ。それが父との離婚を決意した大きな要因であったと思う。

短い余生を目一杯生き抜いた安らかな死であった。看取ったのは僕たち夫婦であったが、僕は、母の葬儀に父を呼ばなかった。

午前十時。僕が乗り込んだ飛行機は予定どおり宮崎の空港に滑りこんだ。地方の一都市の空港であるので、鄙びた殺風景な場所を想像していたが、併設されたビルには様々なテナントが立ち並んでいた。

この県が観光資源を十二分に活用していこうとする意図が、利用者へのホスピタリティが高いこの空港の佇いからも汲み取れる。最近では宮崎ブーゲンビリア空港という愛称まであるらしい。市内へのアクセスも良く、電車で十~十五分、車では二十分程で、県の中心街に辿り着くことができる。しかし父が入院する病院まではここから約二時間、父と田口香織が暮らす美郷町へは更に一時間、車に揺られなければならない。

空港を出ると、車寄せに一台の商用車と、その前に田口香織が立っていた。この土地に不案内な僕を迎えにきてくれることになっていた。ここまでの道のりを考えると、彼女が出発したのは僕が自宅を出た時刻と左程変わらない。欠伸をしていた彼女は、僕の姿を認めると、小さく手を振り手招きした。

ジーンズにフリース、ダウンを羽織った、その飾り気のない出で立ちは、彼女がこの土地になじみ、根付いた住民であることの証だった。

「寒いでしょ。乗って、乗って」

そう言いながら、車の扉を開け僕を助手席に座らせると、運転席に乗り込む。

シートベルトを締め、エンジンキーをまわしながら
「でも良かったね。航空券とれて。病院も明後日から年末年始のシフトで、私たち家族も面会できなくなっちゃうからね……」

「家族」という実感のない、何気ない一言に無言でいると、その沈黙を破るかの様に車が走り始めた。

「ここからお父さんが入院する病院までは二時間程ね。浩一君、あまり乗り心地はよくないかもしれないけど、少しの間、先生とドライブつきあってね」

先生……、その言葉を聞いて、彼女と出会ったばかりの中学時代を思いだしていた。

その頃の彼女はまだ二十代だったであろうか。静物を写生する僕たちの背後に立ち、生徒のそれぞれが描く絵を覗き込んでいく。

彼女が近くに立つと、彼女の甘酸っぱい体臭が、まとった香水の匂いとないまぜになり充満していく。僕がはじめて嗅いだ大人の女の匂いだった。

その匂いが今でも記憶になっていて、父と彼女が一緒に暮らすことの、生理的な嫌悪感となっていたのかもしれない。ふと、そんなことを思った。

今の彼女は髪に白いものもまじり、土をこねるときに付いたものであろうか、よく見ればダウンの袖口や裾には泥汚れのようなシミができていた。

彼女がハンドルをきるとき、目があった。僕はその場を取り繕う様に聞いた。

「父さんの容態はどうなの？」

父は、くも膜下出血で倒れたという。くも膜下出血で倒れた人の三割はそのまま死亡し、他の三割には何らかの後遺症が残る。以前と変わらない状態で社会復帰できるのは残りの三割だけであるらしい。

「昨日、手術が終わって、今は眠っているよ。手術自体は成功したってお医者さんも言っていたから、一命はとりとめたってことだよね。後遺症の程度とか、予後の詳しいことは目が覚めてからかな」

香織の言葉を聞きながら、僕は車窓から流れる景色を見ていた。

もし父が彼女と暮らしてなかったら、きっと父はそのまま死んでいたのかもしれない。

そんなことが、ぼんやりと頭をよぎった。


父は病院の集中治療室で眠っていた。一般病棟ではないため、面会も一日二時間まで。近親者のみに限られている。

眠っている父と会話することはできないが、少し薄くなった頭髪と、白いものが増えた眉と髭。以前よりも深くなった皺が、会っていなかった五年という歳月の長さを物語っていた。

けれど、年老いた風貌とは裏腹に、着ている寝間着は明るく清潔で、老いの侘しさを全く感じさせなかった。

父が目を覚ます気配はなかった。何をするでもなく、ただ父の顔を見つめることしかできない僕とは対照的に、香織は始終、だれ彼と話をしていた。医者に父の容態を聞いたり、看護婦に入院中の着替えやらを渡したり……。気がつけば既に二時間が経っていた。

「明日、また来ます」

僕と彼女は、そう病院の人たちに告げて、その場を後にした。

早い夕食を摂るために香織と近くのファミリーレストランに入った。羽田空港で軽い朝食を済ませて以来、何も口にしていなかったので、腹が減っていた。

ハンバーグステーキを頼んだ彼女が、僕の頼んだチキン南蛮定食を見て詫びた。

「ごめんね。こんなところで……。折角来たんだから、本当はもっとおいしいところ連れていってあげたり、おいしいもの作ってあげたかったんだけど。私も結構バタバタしちゃって……」

「いいえ、お気遣いなく。僕も実の親が倒れているさなかに、美食だ、舌鼓だって、気分にはなれないですから」

「それもそうだね」

香織がおどけて言う。

ぶっきらぼうに答えたつもりが、つられて笑みがこぼれた。今朝の再会以来、お互い、はじめて笑った。

　ほんの少しだけ、彼女と打ち解けた様な気がした。和んだ雰囲気に後押しされ、僕は抱いていた一つの疑問を彼女に投げかけた。

「先生……。ところで、よく僕の連絡先がわかりましたね。僕は、父と母の離婚後、父とは全く連絡をとっていなかったし、自分の住まいも知らせていなかった。何でわかったんですか。中学時代の仲間か何かですか」

　ナイフとフォークでハンバーグを切っていた香織が一瞬真顔になって顔をあげる。彼女はハンバーグを一切れ咀嚼すると、

「房江さん……。あなたのお母さんだよ」

　とポツリと言った。

　彼女が言うには、母は、父と彼女が暮らすこの地を何度も訪れていたらしい。

　この場所には、朝鮮半島の古代国家である百済から、その王族が日本に亡命し漂着したという伝説があり、それこそが母の生涯最後の研究テーマであった。文献だけでなく、現地での取材を行うために何度もこの場所を訪れ、その度に父と彼女の家を拠点にしていたというのだ。

　この日の夜は、父と彼女の住まいに厄介になることになった。航空券を入手するのに躍起になっていて、宿泊する場所についてはすっかり後手になってしまっていた。

行けば何とかなるだろうという楽観的な気持ちもあったのだが、今は、母も訪れたその住まいを見てみたいという気持ちが強かった。

その住まいは民家も疎らな山間部にあった。広い土地に、住宅だけでなく、父と彼女の仕事場、窯場や作業場が併設されていた。

作業場はモノで満ち溢れていて、釉薬を塗る前の素焼きが所狭しと並んでいる。壁の棚にはいくつかの完成品が飾られていた。

その中の一つが僕の目に飛び込んできた。それは割れた破片を漆と金で継ぎをした質素な茶碗であった。

「あ、これ……」

「ああ、それ。洋三先生、お父さんの初期の頃の作品ね。私が入門したばかりのときに、いい作品だけど割れたから捨てる、って言ってね。私がそれをねだっていただいたの。金継ぎして直してみたんだけど……。傷ものっていえばそうなんだけど、こういうのも味わい深くていいでしょ。利休や織部の真似事だね」

古びた茶碗を手にとる僕に、振り向きながら、香織がそう微笑む。

その茶器は、僕が昔、割ってしまったものだった。

僕が高校生のとき、朝から晩まで身を粉にして働く母に対して、父は部屋に篭っているかと思えば、思い出したように土を捏ね、窯入れだと言って、家を空けたまま暫く帰ってこない日々を続けていた。そんな父とその生活が、とても自分勝手なものに思え、僕は父を理解できず嫌っていた。

「久しぶりに納得できるものができた」

そう満足気に茶碗を見せる父に母は微笑みながら頷いていたが、

「浩一、お前にもわかるだろう。これが良いものだって」

そう言って手渡された茶碗を僕はそのまま落として壊した。茶碗は鈍い音をたて、三つに割れた。

怒気を含んだ父と驚愕する母の視線が、僕に釘づけになる。

「いい大人が、土捏ねて喜んでんじゃねぇよ。他にやることあるだろう。元はただの土くれじゃねぇか。いいもくそもねぇよ」

僕の捨て台詞に、父は、

「そうだな、お前の言うとおりだ」

と寂しく笑った。


様々なモノで溢れる作業場と対照的に、二人の住まいの方は驚く程簡素であった。家財道具も必要最低限のものしかなく、衣食住、全てにおいて一切の無駄をそぎ落としたような暮らしぶりを思わせた。

よく掃除の行き届いた各々の空間からは二人の求道者たる規則正しい生活が想像された。そこに生臭い人の息吹はなく、寒々とした空間に一種の清々しさが感じられた。

通された質素な六畳間で、僕が寝るための布団を敷きながら、

「ごめんね。本当に何もない家で。お客様用の布団もこれしかなくて……。あなたのお母さんが泊まるとき使っていたものだから、いいよね」

と、香織が言う。

何もないと思っていた部屋であったが、床に就き、明かりを消すと、僕は思わず感嘆の声をあげた。部屋の天井に天窓があって、満天の星が輝いていた。

母もこの部屋で僕と同じ景色を見ていたに違いない。母が追っていた、この地に辿り着いた百済の王族たちも……。

悠久の時を感じながら、布団にくるまり目を閉じると、僕は久しぶりに母の温もりに包まれたような気がした。


翌日の出発は朝早くだった。何せ空港までは約三時間の道のりである。午前中に父の見舞いを済ませ、午後の便に乗りたかったのだ。明日以降は面会ができないので、今日の夜には新潟にいる家族に合流したいと考えていた。

病院に向かう車中で、朝靄が煙る山々をぼんやりと見ていた僕は呟くように聞いていた。

「ねぇ。父さんのこと、どう思っているの。年だって結構離れているしさ」

香織は一瞬、「えっ」という顔をこっちに向けたが、前を向きハンドルを握りしめると、

「尊敬しているよ。大事なパートナーだね」

そして、暫くの沈黙の後、続けて言う。

「男と女、そう大人の男と女ってさぁ、運命共同体っていうか、何かの同志みたいなものだと思うのよ。何か共通の守るべきものがあったり、追い求めるものがあったり……。あなたと暮らしていたときの洋三先生と房江さんもそうだったのじゃないかしら」

少しわかる気がした。久乃と付き合いはじめた頃は、唯々彼女が愛おしくて、彼女の全てを独占したかった。結婚を意識しはじめると、二人でつくる家庭、未来に思いをはせた。

息子ができて、今は彼を育てることで頭が一杯だ。確かに変わらず存在しているのだが、久乃への愛情の質は大きく変容している。それが、大人になるということかもしれない。

香織の方を振り向くと、彼女の顔を朝陽が照らしていた。


病室での父は依然と眠りについていた。心配する僕らに、一～二日間程眠ったままというのもそう珍しくはない、と医者は言う。寧ろ心配なのは、目が覚めた後の二週間らしい。手術が成功したとしても、全身の合併症や水頭症、脳梗塞につながる血管攣縮などを起こす可能性がある。集中治療室で寝たきりのまま、これらが発症していないかチェックしなければならない。約二時間おきにこのチェックが行われる。それは夜中でも時間に関係なく行われるため、まず熟睡ができない。ま

た、激しい頭痛が四六時中続くので、この二週間は患者にとって相当辛いものらしい。

結局、父とは一言も会話はできなかった。

ベッドの上の父の寝顔を見ていると、母の言葉を思い出す。


それは父と母が離婚するとき。

「安心したわ」

母はそう言った。

「お父さんは、一人じゃ生きていけない人だから……」

母以外の女性と暮らす父に釈然としない僕に、そう苦笑いを返していた。

僕は、香織の後ろ姿に
「よろしくお願いします」
そう心の中で呟いて、病室を後にした。

空港まで送るという香織の申し出を固辞し、日豊本線で空港まで向かうことにした。時間が読みやすい上に特急であれば一時間程で空港に着くことができる。時間を大きく短縮できる以上に、少しでも彼女に、父の近くにいて欲しかったからだ。

別れ際、香織から一冊の冊子を渡された。

それには、「百済王伝説　真実と伝承」というタイトルと母の名前があった。


帰路、母の論文を読み耽った。

そもそも百済王伝説とは、新羅に国を追われた百済の王族、禎嘉王とその子の福智王が、安芸国厳島を経て、日向の地に辿り着いたことに端を発する。

禎嘉王の祀られる神門神社の縁起によれば、それは天宝勝宝八年（七五六年）のことであったらしい。ところが、実際に百済が滅亡するのは白村江の戦いがあった六六三年であり、この縁起と一世紀近くの時間のズレがある。また歴代の百済王の中に、禎嘉王あるいは福智王という名は記録されていない。

そこで母は、縁起にある七五六年という年に何があったか、という点に着目していた。この頃の治天の君は、女帝の孝謙天皇であるが、この年、父の聖武上皇が崩御している。上皇崩御後の近臣内での覇権争いから勃発したのが、「橘奈良麻呂の乱」である。この一連の政争で百済王の子孫が日向の地に流れた、という仮説に基づく自説を展開していた。

事実、百済滅亡後、その王族の末裔は、最後の王の子である善光を始祖として、持統朝で百済王の氏姓を賜与されているらしい。

橘奈良麻呂の乱で日向国に流されている高官の一人に藤原乙縄という男がいる。彼の兄の継縄の妃の一人は百済王氏の出身であることから、乙縄と浅からぬ関係であった百済王氏一族の何某が、この地に流れ、亡くなったのではないかと結論づけていた。

これらを裏付けるために以下の話が続けられていた。この地に百済王族が残したとされる銅鏡と、奈良の正倉院にある銅鏡との共通性の示唆。この地に残る伝承から、どのように百済王氏の一族がこの地に融和し、惜しまれ亡くなっていったかを。伝承については、土地の古老や郷土史家など、様々な人々への聞き込みを精力的に行っていたようだ。

読みすすむうち、これらの仮説や発見を楽しげに父たちに語る母の姿がまざまざと目に浮かんできた。そして、亡くなる数日前、見舞いにきた僕に呟いた言葉と姿を……。

「本当にありがとう。お陰様でやりたかったことをやり遂げることができた。生まれてきた孫にも会えたしね。だけどね……」

そう言いながら、ため息をつくと、

「私のせいで、私の我儘で、大事なものを壊してしまったね……。ごめんね」

と、病室の窓から遠くを眺めていた。

羽田からモノレールに乗り浜松町へ。浜松町から上越新幹線に乗るために東京へ。山の手の車中で、メールの着信を知らせるスマホの音に気づく。香織からのメールだった。父が目を覚ました、という知らせであった。

三週間後、僕は再び宮崎に向かった。今日、父が退院するのだ。会社には数日間休暇をもらい、父と香織の家に泊めてもらうことにした。どうしても見ておきたいものがあったのだ。

病院のロビーで待っていると、香織に手をひかれて父がやってきた。僕の姿を認めると、はにかんだように笑う。

「年末も来てくれたんだってな。すまんな、忙しいときに」

「しょうがねぇだろう。たった一人の親が倒れたんだから。あんまり香織さんに心配かけるなよ」

そう返すと、父は頷いた。

「ああ、そうだな」

と。そのとき、父の手が彼女の手を強く握りしめたように見えた。

倒れた直後の処置が迅速で適切であったため、父は、幸いにもほとんど後遺症が残らなかった。暫く寝たきりであったので、まだ些か手足の痺れが残ってはいるが。

仕事に支障はないかと心配する僕に、父は言う。

「少し手足が痺れているだけだ。そのうち、治まるだろう。まぁ痺れが続いたとしても、香織に手伝ってもらえばいいさ。そもそも俺は一人じゃあ、なんもできんからなぁ」

案外、自分のことをわかっているらしい。

父が退院した日は旧暦の一二月一四日にあたる。この日からこの土地では「師走祭り」が行われる。この祭りは、母が最後の研究テーマにしていた百済王伝説の証とされる祭事で、三日間にわたって行われる。約九十キロ離れた比木神社に祀られている福智王の御神体が、父王である禎嘉王を祀る神門神社まで会いにいくというものである。

僕はこの祭りをどうしても見ておきたかったのだ。僕のこの申し出に、香織はとても喜んでくれた。

「洋三先生も行くでしょ」

父に言う、その屈託のない口調は、最初に電話をくれたときと全く同じだった。父も、リハビリがてらにと、快くつきあってくれることになった。

神社の近く。刈り取りあとが残る田圃にはいくつもの櫓が組まれていた。

櫓に火がつけられると、乾いた空気に乗って焦げた青い芳香が鼻腔をかすめてくる。真っ白な煙が空間に充満したかと思うと、真っ赤な炎が燃えさかり天空を照らす。立ち上がるいくつもの炎を見ながら、

「この景色、母さんも見ることができたの」

僕がそう聞くと、父は目を閉じ頷いた。

「そういえば、父さんの仕事場で見つけたんだけど……。僕が割ってしまった茶碗、とってあったんだね」

「ああ。香織のやつがうまく直しおってな。まぁ元々が良い茶碗だ。うまく継げば、それなりのものにはなるけどな」

久しぶり、いや何十年ぶりに、素直な気持ちで父と会話ができた。僕はもう一つだけ、父に甘えたくなっていた。

「ねぇ、父さん、茶碗を一つ作ってくれよ」

父が怪訝な顔をする。

「父さんにまだ言ってなかったよね。僕ね、親父になったんだよ。息子のために、父さんの孫のために茶碗を作って欲しいんだよ。父さんの茶碗で、息子に、一也に飯、いっぱい食わせたいんだよ」

僕がそう堰を切ったように言うと、父は心底嬉しそうな顔をした。

僕ら親子のやり取りを、香織が微笑みながら見つめている。真っ赤な炎に照らされたその顔に、僕は軽く頭を下げた。

うまく言葉にはできないけれど、今ではわかる気がする。母さんが父さんを彼女に託した理由が。彼女が僕たち家族をつなぎとめてくれた。母のたった一つの心残りであった、バラバラになってしまった破片を……。

この景色を、久乃と一也にも見せてあげたいと思った。来年は家族と一緒に……。
福智王が禎嘉王に会いに来るように、また父たちに会いに来よう。
そう誓った夜だった。

佳作

「人ひとり」

松田紙弥

決して言葉にできない問い、というものがある。

口に出せば最後、すべてが壊れてしまいそうな、そんな問いだ。

だから禎嘉は、口をつぐんだ。醒めきらぬ頭で、ぼんやりと、今を思い出す。瞳に映るのは幾筋もの光の糸と、たゆたう光の群れ。地獄にしては明るすぎる、と思ったところで、それが篠の目からさしこむ陽の光だと気がついた。斜陽の奥に見えるのは煤けた梁。朝陽を受けてきらめくのは、舞いおちる塵。

そこは見なれた、彼の寝屋だった。

左肩から、しずかな寝息が聞こえてくる。目をやれば妻の白い横顔が見えて、禎嘉はほっと胸をなでおろした。すこやかな呼吸に誘われ、また、目を閉じる。頬にあたる冷気と、朝陽の暖かさが心地いい。耳をすませば、小鳥のさえずりが聞こえてくる。

ふと、妻のむこうで衣擦れの音がたった。

禎嘉は薄目を開け、そしらぬふりでちらりと見やる。まるっこい影が妻の足元を乗りこえて、そろりそろりと近づいてくる。

孫の鼻息が聞こえたところで、禎嘉はにこりと笑っていった。

「おはよう、児呵（アガ）（かわいい子）」

稚児がびくりと動きをとめる。薄闇のなか、小づくりの顔がまるくふくれて見えた。どうやら目隠しをして、驚かせようとしたらしい。

「それは朝だからね。じじさまも起きるよ。母さまたちは外かい？」

ふくれっ面のまま、こくりとうなずく。孫を抱きよせながら、禎嘉は寝床から体を起こした。間近に見える孫の顔は、父親である長子の幼いころによく似ている。

寝屋にいるのは、彼と妻と孫だけだった。空になった三人分の寝床は片づけられ、部屋の隅にまとめられている。

かまどのついた土間と寝屋だけの、小さな家である。

だが、身分を失い名前を捨てた禎嘉にとっては、身にあまるほどの住処だった。なにより里人がこの家が建てるさまを、禎嘉ははじめから見ていた。里人のほとんどは、土の上に丸太を組み、稲わらを覆いかぶせただけの粗末な住居に住んでいる。当然、板の間などはない。土間にわらを敷き、肩を寄せあうようにして眠りにつく。そんな暮らしをする彼らが建ててくれたのが、この家だ。

里人たちが何を作ろうとしているのか悟って、禎嘉はいくども必要ないと訴えたが、彼らはいいが、いいがと笑って働きつづけた。

ここ、神門に身をよせて、三年が過ぎていた。

「じじさま、あつい」

懐の孫が、身をよじった。まだ短い手で、祖父の腕を懸命にほどこうとしている。

「すまん、すまん。ほら、ばばさまが起きるから、静かにな」

禎嘉はそう言って、児呵を床に立たせてやる。ついで自分も、うすい寝床から立ちあがった。そっと足を運びながら、土間へと向かう。

履物へ足をとおしていると、戸口から乳母が顔をのぞかせた。

「あら、殿。おはようございます」

「おはよう。華智は今朝も祥姫のお手伝いかい？」

「はい。私がおりますので大丈夫とは申しあげているのですが、兄上さまとのお約束だと」

乳母が、悩ましげに言葉をにごした。

本来ならば、主人の子に雑用をさせるような乳母ではない。まして華智は男だ。女の仕事の手伝いなど、主人である禎嘉が命じても、決してさせはしないだろう。

だが、華智の兄である福智の行方は、いまだわかっていない。その福智との約束と言われては……禎嘉には乳母の気持ちが、手に取るようにわかった。

祥姫とは福智の妻である。そして彼女はその子、児呵の乳母だった。

華智にも幼少からの乳母がいた。しかしある嵐のあと、一行が日向国に流れつき、この里にたどりつく前に死んでしまった。

「朝餉の支度をしますね。祥姫さまと華智さまをお呼びしてまいります。坊ちゃんは……ああ、奥さまをお目覚ましですね」

寝屋のようすをうかがって、乳母がほがらかに笑う。そのまま、外へと引き返していった。土間に、薪の爆ぜる音が響く。熾火の並ぶかまどでは、二つの鍋が、それぞれやわらかな湯気を立ちのぼらせていた。腹がぐうと鳴る。食欲をそそるにおいがした。

朝餉の前に、支度を済ませてしまおう。禎嘉はひとり草屋を出た。庇の下に据えた水がめから水をすくい、手ぬぐいを濡らす。軽く絞って、顔をぬぐう。とちゅう水場から、嫁と息子が帰ってきた。朝のあいさつを交わし、二人は草屋に入っていく。

山里の空気はしんと冷えていた。視線をおろせば、草木に光る朝露が秋のおとずれを教えてくれる。川むこうの山肌に葛の花らしい薄紫色がにじんで見えた。

食事は主従の区別なく、そろって膳につく。とはいえこの家に高膳は一つもないので、車座になった板間の上に、直にそれぞれの椀と小皿をならべて食事にする。朝餉の献立はだいたいが塩味の汁物に、蒸した米あるいは粥で、今朝は小皿に瓜の漬物がのっていた。汁椀の底には旬の茸が沈んでいる。

禎嘉のとなりにはいつも妻が座る。彼女にだけ、蒸し米を柔らかく煮こんだ粥が出される。妻の頭にも白いものがずいぶん増えた。外を歩くこともほとんどない。苦労をかけた、と禎嘉は思う。

ふと、粥をすする手を止め、妻が言った。

「あなた、今朝はどちらにいらしたんですか」

はてと思い、禎嘉は己の行いをふりかえる。起きてから、まだ一刻とたっていない。

「いや、ここにずっといたよ」

「あら！　ほんとうに？」

そう驚く妻のしぐさは、やけに芝居がかっている。

「私、目覚めたら何者かに両の目を封じられておりましたのよ。もうびっくりして、見えないながらにあなたを探しましたのに、気がついてもいないなんて」

と、つんとすましてこちらを見る。

禎嘉は、ははぁとうなずき孫を見た。

「それは済まなかったね。ばばさまはずいぶん怖い思いをされたようだ。児呵や、お前はばばさまと一緒にいただろう。あやしい者は見なかったかね」

家族の皆に見つめられ、稚児はきょろきょろと目をおよがせる。

「……しらない」

「これ坊ちゃん、うそはだめですよ。ばあやは見てました」

「しらない」

「坊ちゃん、じじさまもばばさまも、怒ってはいらっしゃいませんよ。坊ちゃんは本当のことをおっしゃられればいいんです」

両肩を抱かれ、目線を合わせられても、児呵はうつむいたまま答えない。祥姫がため息をついて、頭を下げた。

「申し訳ありません、お母さま」

「いいのよ、祥姫。私はちょっと主人をからかおうと思っただけなんだから。ねえ、あなた」

「そのとおりだよ。しかし近ごろの児呵は、ごきげんがよくないねえ」

「木偶（デグ）がなくなったからです」

華智が、背筋をぴんとのばして言った。

「木偶？」

「児呵のお気にいりの木偶が、川に流されてしまったのです。児呵はそれがまだ悲しいのです」

言われてみれば、孫のとなりにいつもあった木彫りの人形が見あたらない。しばらく前にずいぶん泣きながら帰ってきたことがあったが、次の日には元気に遊んでいたので、禎嘉はすっかり忘れていた。

「でもハナの父上が、また作ってくれると約束してくださったんでしょう？」

「はい、お母さま。ただ、クロ助さまは今、里を出られていますから……」

言いよどむ嫁に妻が、ああと二度うなずいた。華智が年上ぶって甥に話しかける。

「だからといって児呵、ばばさまに怖い思いをさせてはいけないんだぞ」

児呵が黙ったままうなずいた。華智がよしと笑う。

話の末を見守って、禎嘉は椀に箸をつけた。小さな草屋に笑い声が満ちてくる。質素な食事だが、だからこそよくよく噛みしめ、味わって食べた。食べ物が口に入るだけ、ありがたいのだ。そう思うようになってから、里での食事もふしぎと腹もちがよくなった。

食後の白湯も腹に納めて、腰をあげる。乳母と祥姫が器を重ねはじめた。大人たちの邪魔にならぬよう、華智が児呵を外につれだす。

稲刈りを終えてから、里の暮らしはあわただしい。近づく冬にそなえるためだ。朝餉が終われば、乳母をはじめ祥姫と華智も山へ入り、木の実ひろいや茸狩りに精を出す。そのあいだ妻は児呵と家をまもり、唯一の男手である禎嘉は、薪を運んだり、里人の畑しごとの手伝いに出かけたり……している。

実のところ、ここの暮らしで一番働いていないのは自分ではなかろうか、などと考えながら禎嘉がおもてに出ると、戸口のわきに稚児たちがしゃがみこんでいる。

なにを見ているのか、頭の上から覗きこむと、黒々とした炭が一本落ちていた。

「なあに、これ」

「これは炭だよ、児呵。小ばあやが落としたのかもしれません」

言って華智が手をのばす。と、

「こーら、手でいじくったら汚るっぞ」

若い男の声がとんできた。ふり返ってみれば、年のころは二十歳前後の男が立っている。赤ら顔に黒々とした髪はごわついていて、一見荒くれ者のようだが、人なつこい笑顔が妙にまぶしい。

里人はどん太郎と呼んでいる。

「おはよう、先生」

先生というのは禎嘉のことである。里に流れついて間もないころ、どん太郎が字を教えてほしいとやってきた。以来、二日に一度、青年は朝の仕事と朝餉を終えると、彼の家をたずねてくる。今ではすっかり稚児らもなついていた。

「おはよう、どん太郎」

「おはよう、どんたろ」

木炭を囲んでいた次男と孫が、我先にと駆けよっていく。どん太郎は両のうでにひとりずつぶらさげ、ぶうんぶうんとふりまわした。きゃっきゃと声をあげ、稚児らが笑う。

「これ二人とも、いいかげんになさい。どん太郎は学問に来たんだよ」

見かねて禎嘉が声をかける。二人は、はぁいと声をそろえて地に足をつけた。

「ではわたしは姉さまのお手伝いに行ってまいります」

華智は行儀よく客人に別れのあいさつをすると、嫁と乳母の働く水場へ駆けていった。

「さて、児呵はじじさまとお勉強するかい？」

腰を屈め、ひとり残された孫に問いかける。児呵はふるふると首をふって、一言、

「ハナとあそぶ」

「そうか。じゃあハナがくるまで、ばばさまと一緒に遊んでなさい。あまりうるさくしてはだめだよ」

「はぁい」

こたえて草屋の戸口へ歩いていく。と、何を思いだしたのか足をとめ、こちらをふり返った。

「どんたろ、オサラバ」

「はは、オサラバー」

青年が手をふってこたえる。満足したらしい稚児は、跳ねるように戸口へと駆けていった。

二人は裏手に立つ栃の木の下に場所を移した。途中、水がめから茶碗一杯分の水を拝借し、ならべておいた小ぶりの岩にそれぞれ腰を下ろす。ここが二人の学問所だった。

禎嘉は筆の具合を確かめながら、気になったことを聞いてみる。

「流行ってるみたいだね」

どん太郎はピンとこなかったようだ。

「風邪け？」

「違うよ。さっき孫に言っていただろう」

「ああ、オサラバ」

「意味は知っているのかい？」

「また会おうやろ？」

禎嘉は口をつぐんだ。間違ってはいない。間違ってはいないが、どん太郎と孫とのやりとりは、また一緒に遊ぼうくらいの意味に思えた。大方、寝物語に故国の英雄譚を聞いた孫が、音の響きを気にいって里でも使いはじめたのだろう。だがその齟齬をどのように言い表せばいいのか……頭を捻ってみても、うまい言葉が出てこない。

「……まあいいか。さてどん太郎、一昨日のおさらいをしようか」

言って、筆先に茶碗の水をつけて軽くしごき、石板に干支と書いた。どん太郎に示して問う。

「何と読む?」

「えと、か、かんし」

「意味は?」

「十干十二支のこと」

「では十干を書いてみよう」

石板と筆を手渡す。青年は唇をかみしめてうなりはじめた。案外もの覚えのよい生徒だが、一昨日の彼は十干の音のならびに苦しんでいた。あわせて教えた十二支はすぐに諳んじていたから、耳なれた言葉かどうかの差なのだろう。

字を教えてほしいという話だったが、近ごろは暦を教えている。それどころか算術や、農耕の知識、禎嘉が見てきた都や郷や、果ては海をこえて、彼の故郷や唐について話すこともある。

ただ、おそらくこの里で一生を終えるだろう男にこのような知恵をさずけて、いらぬ重荷ではないかと思うことはある。だが問いかけてくる若人の、明るく輝く目を見ていると、己の知る限りを教えてやりたいとも思う。

青年が、戊らしき字を迷い迷い書いている。禎嘉は筆をとると、大きく見本を書いてみせた。

「これが戊だね。どれ、今日は十干についてもうすこしくわしく話そうか」

一刻たらず、十干の意味としくみについて話した。時間を決めているわけではないが、そのくらいになると会話は雑談にかわり、どん太郎はいつも、罠を見に行くといって帰っていく。

今朝は、入れかわるようにハナがやってきた。

「あ、どん太郎や」

見つけるやいなや駆けてきて、どん太郎のうでに手をのばす。青年は華智らにしてやったよりもすばやくハナをふりまわし、いきおいのついたところでパッと手を放したハナは、四五歩ほど先で器用に両足から地についた。

「おはよう、おじさん、どん太郎」

「おはよう、ハナ。今朝は早いね」

「うん。昨日おばさんが、明日は針仕事をもらったゆうとったから早よう来たん。坊ちゃんと遊ぼうおもて」

「そうかそうか。いつもありがとう」

禎嘉がハナの手を取ってそういうと、少女が照れたようにはにかんだ。

「じさんはいつ帰るとか?」

「さあー、魚が食べたいいっちょったが、あと五日くらいかかるっちゃないか」

十にもならぬ少女がけろりと答える。

ハナは父、クロ助と二人で暮らしている。里はずれにある炭焼き場そばの岩陰に住んでいて、できた炭を売りにいくあいだ、ハナは叔母の家や、近しい里人の家に身をよせる。父親は娘の宿代として、作った炭をおいていく。

禎嘉の家にも、クロ助は炭を持ってきてくれた。ハナがいつも世話になっているからというが、世話をしてもらっているのは彼の孫の方である。固辞しようとしたが、炭焼き男は例によっていいが、いいがと笑いながら行ってしまった。

「おじさん、坊ちゃんはどこ？」

ハナのまっすぐな目が禎嘉を見ている。彼はほほえんで、少女の手をひき歩きだした。開けはなしている戸口から、奥をのぞきこむ。

「児呵、ハナがきたよ」

妻のかたわらにて、なにやら転がっていたらしい孫が、爛々と輝く目でこちらを見た。

「ハナ！　みて！　みて！」

さけび、板間の上をたてに転がりながらやってくる。三度、四度まわって、土間のきわまでたどりついて、児呵はやっとまともに座ってみせた。

「どお？　どお？」

「はー、坊ちゃんはすごいねえ。ハナがしたら目がまわるわ」

「すごい？」

「すごい、すごい！」

おもてからどん太郎のけらけら笑う声が聞こえる。しかし児呵にとっては、ハナがほめてくれればそれでよいらしい。少女に手をとられ、ぴょこぴょこ跳ねる。

奥の間から、妻が声をかけた。

「ハナ、お昼は帰ってきてね。おにぎり作ってもらったかい。ほら、坊ちゃんのも」

「ありがとう。けん、一緒に食べましょう」

「あらまあ、申し訳ないわねえ。でも気がむいたら帰ってきてね」

「うん、ぎょうさんおみやげ採ってくるが、楽しみぃしちょって」

しかし、二人は帰ってこなかった。

「お父さま、児呵を知りませんか」

そう祥姫にたずねられたのは、すっかり日もかたむき、山の陰が里をつつみはじめたころだった。ハナがついていれば大丈夫だろう、もうしばらく待ってやるように、禎嘉は答えた。すると間もなく、ハナの叔母がたずねてきて、姪がまだ帰らないのだが、なにか知らないかという。大人たちは顔を見合わせた。

日の落ちた山は危うい。大の男でも獣や物の怪を恐れるほどで、童二人がこの刻限まで帰らぬというのは、大変なことである。話を聞きつけたどん太郎が、さっそく里の家々をまわってくれた。見かけた者の話によれば、どうやら二人は川べりにあけびを採りに行ったようだった。

「もう遅えかい、おれらはやめとけ言うたんじゃ。じゃけん、あんちびがどしてん行くいうて」

「ハナはしかたなしい行ったんや」

ちいさな兄弟の声は震えていた。禎嘉はその赤くなった頬と、濡れすぼったまつげを見つめほほえんだ。

「そうか。うん。ありがとう」

「ハナはすぐ帰るいうとった」

「うん、わかったよ。君らはもう夕餉を食べておやすみ」

夜はすでに里山を抱きこんでいた。家々の戸口からは、あたたかな灯影と粥のにおいが漏れている。どん太郎の連れが松明を持ってきた。今夜はさいわい月夜だが、十六夜はまだ低く山蔭から姿を見せない。灯りがあるのはありがたかった。

「したら悪餓鬼どもをむかえにいこか」

どん太郎を先頭に、禎嘉と男衆は歩きだす。里の端まで行くと、収穫を終えたばかりの水田が眼下に広がった。この先に兄弟が話していた谷川がある。男たちは連なって坂をくだり、畔道を進んだ。積みあげられた稲わらが、ところどころに影を落とし、通りすぎる生者をうかがっているようでもある。

「ひょっとしたらその辺に座りこんどるかもしれん。よう見ちょって」

足早になりかけた一行を、どん太郎の一声がおさえる。禎嘉は孫とハナの名前を呼んだ。男衆の声があとにつづいた。

しばらく進むと、行く手に藪の陰が立ちあがった。畦道が途切れ、谷川に降りる道が現れる。禎嘉も釣りや水浴びに来たことはあるが、日が暮れてからははじめてだ。足場は急なところもあるものの、枝や草木は払われていて、思いのほか歩きやすい。足もと、夜のむこうから、絶え間ない水の音が聞こえてくる。

夏にここを歩いたとき、禎嘉は稚児たちを連れていた。水場ではしゃぐ孫と少女の顔が目に浮かぶ。無事でいてくれとつぶやき、ついで浮かんだのは、三年前に別れたきりの息子、福智の顔だった。あの日、瀬戸の内海で、嵐は行くあてのない彼らを瞬く間につつみこんだ。雨と風、何より砕ける波がすべてを打ちたたく。舟にしがみつく手に潮が沁み、口を開けば塩の味しかしない、荒波に嬲られるような時化のなか、福智は、沈みかけた供の舟を助けようと跳びうつっていった。供の舟は波に消え、禎嘉と家族の舟は、日向国は金が浜に流れついた。そこに、息子の姿はなかった。

孫はいまだ、父の顔も声も知らない。それは福智にとっても同じことで、息子は身重だった妻が無事なことも、金が浜から神門にむかう道程で我が子が生まれたことも知らない。

児呵にもしものことがあれば、私はどんな顔で息子に会えばいいのだろう。いや、子を想う親の心を知ればこそ、合わせる顔など、あるはずもない。

両のうでが、あしが、粟立った。

ふと、先をゆく松明がゆれて、とまった。男衆がざわめき、禎嘉の胸がどくんと鳴った。炎に照らされ、うでをつきあげたどん太郎の顔が見える。

「おったよー！　おった！　先生！」

　禎嘉は、転びそうになるのもかまわず坂を駆けおりた。自分より若い男たちの背中をかきわけ列の前に出ると、児呵がいた。燃えるように赤い顔で、泣きながらどん太郎の足にしがみついている。生きている。禎嘉は破顔し、愛しい孫を抱きあげようとして、その足もとに稚児が横たわるのを見た。男の手がゆさぶり、名前を呼ぶ。

「ハナ！　返事せんか！　ハナ！」

「いいかいもう運べ。ここんおってん、どうんもならん」

「ごめんなさあぁいいぃ」

　児呵はただ泣いていたわけではなかった。泣きながら、謝っていた。禎嘉は孫の前に膝をつき、ふるえる小さな肩をつかんで問うた。

「……なにがあった？」

　児呵の目が、禎嘉を見た。つまらせた洟のせいで、ひっきりなしに喘いでいる。青ざめた唇を二、三度、開けては閉じて、言った。

「……ハナが、あけびとってくれて、かわで、デグがあるかも……ひっ……しれないから、そしたら、アガおちて、でも、ハナが……ハナがきて、たすけてくれて、かえろうって……でも、ハナひゆる、ひゆるて……」

児呵の髪は濡れていた。けれど、丈のあまった着物は乾いていて、禎嘉はとっさに男衆に背負われたハナを見た。少女の細い腰まわりを隠しているのは、芯まで水のしみこんだ孫の着物だった。禎嘉は児呵を抱きよせ、はなすと立ちあがり、出かけに妻がうちかけてくれた上着をぬいだ。ぴくりともせぬハナにおっかぶせ、背負う男の体ごとつつみこむ。ついで、といた帯で落ちてしまわぬよう結いつけた。

男たちの驚いた顔が、松明の灯にゆれる。

「急ごう。はやく！　私の家へ運んでくれ！」

来た道を折りかえし、禎嘉と男衆は歩きだした。今度は稚児たちを先頭にして。坂を登りきり、藪の陰を出る。東の空にわずかに欠けた月が浮かんでいた。ふりそそぐ月光に、刈り入れを終えた稲田がきらきらと煌めく。稲わらの影は一掃され、まるで真昼のような畦道を、男たちは駆けた。

里につづく最後の坂道。戸口の灯りを背に、心配で顔を出したらしい乳母の姿が見え、禎嘉はさけんだ。

「火だ！　湯を沸かせ！」

一行は勢いのまま、草屋にハナを担ぎこむ。あわてて妻と祥姫が夜具を敷いた。男たちがゆっくりとハナを床に下ろす。だらりと垂れる手足を見て、華智が息をのんだ。

「祥姫、ハナを着替えさせてやっておくれ。いっしょに湯で体を拭いてやるんだ」

禎嘉は土間に落ちていた帯を拾い、立ちあがった。

「いったん外へ出よう」

どん太郎たちをうながし、草屋を出る。夜風が汗ばんだ肌をなでた。男衆の日焼けた身体から湯気があがる。禎嘉の体もたぎるような熱を感じていたが、ほんとうの芯では凍えているように思えた。わななく歯を噛みしめて、たずねた。

「どう思う、どん太郎?」

「……正直、どうしたらいいかわからん。けんど、ほっとったら死にます」

誰も、なにも言わなかった。松明の灯だけがゆれる。それが里人としての答えだった。

沈黙が過ぎ、息をひそめていた虫たちがふたたび鳴きはじめる。ハナを背負っていた男がぽつりとつぶやいた。

「……どん太郎、クロ助は?」

息が、つまった。

「クロ助は今、山を下りとる。どこにおるかわからん」

「知らせんでいいとか⁉」

「どこにおるかもわからんとに、どうやって知らせるとか⁉」

「いつ戻るてゆうとった?」

「ハナはあと五日くらいゆうとったが」

「そんなか⁉」

目の前で男たちが怒鳴りあう。

禎嘉はぼんやりと、そのようすを眺めていた。声が、遠かった。そんなことよりも、老人は己の心のきたなさに、目をうばわれていた。

「…………」

死を、受け入れようとしていた。

しかたがないのだと、こんな山里であの子を救う方法などないのだと、都合よく諦めようとしたことに、気がついてしまった。

自分は知っていたはずなのに。

禎嘉は踵をかえし、少女のもとへむかった。着替えはすでに終わり、ハナのかたわらには児呵がはりついている。彼は板間にあがると、夜具を少しだけめくり、少女の体にふれた。赤く熱をもった顔とはうらはらに、少女の指先はひどく冷たかった。ついで夜具と背中の間に手を入れてみるが、人肌の温かさはほとんど感じられない。

「……祥姫よ」

「はい」

「夜具をもっと厚く敷いてやってくれ。この子は児呵の恩人だ。助けるぞ」

禎嘉はふたたび外へ飛びだした。いまだ言い争う男たちに、声を張りあげる。

「ハナを助けよう！」

視線のひとつひとつが禎嘉に集まる。

どん太郎が言った。

「どないしてね、先生?」

「ハナの体は冷えきっている。自分では戻せないんだ。とにかくあたためよう。うちの夜具を使わせるが、おそらく足りない。もっと夜具か稲わらか……できれば毛皮がほしい。どん太郎、なんとかならないか?」

禎嘉は教え子の目をひたと見つめた。

「……わかった。すこし待っちょってください。はい行くぞ!」

男たちが夜の里に散っていく。

禎嘉は家族とともにハナの手足をさすりながら、どん太郎たちの戻るのを待った。最初に毛皮を持ってきてくれたのは、ハナの叔母だった。毛皮は次々と届き、東の空が白みはじめるころ、少女の指先にもうっすら赤みがさすようになっていた。だが、汗が出ない。体の上からも下からも毛皮でつつみこんで、暑くないはずがない。なのになぜか、ふれる足は、腕は冷たかった。

「どうして、……」

眠りつづけるハナの顔は、心なしかしぼんで見える。禎嘉の目には、白村江で見た民の亡骸が重なって見えた。死ぬ理由のない人間から死んでいく。こんなことが許されていいのか、こんなことのために、自分は生まれたのか、禎嘉は己の祖霊に問うた。救いを、導きを求めた。だが、誰の声も聞こえなかった。

ただ、閃くものがあった。

「……くすり……葛だ！」

「あなた⁉」

妻のとめる声も聞かず、禎嘉は外へ飛びだした。朝靄のむこう側、まだ宵闇ののこる山肌に昨朝ながめた薄紫色をさがす。見つけた。だがあまりに遠い。禎嘉はあたりを見まわし、背後の山をふりあおいだ。そびえる木々の陰に同じものを見つけ、走りだす。奥へ、奥へ。進むたびに暗くなる林の間を、空を見あげながら進む。やがて樹上のひとつに葛の花を見つけて、その幹を手でまさぐった。木肌に寄りそう蔦をつたい、しゃがみこむ。引きぬこうとするがびくともしない。禎嘉は迷わず土に指を立てた。抜けないなら掘りだせばいい。蔦にそってやわらかな土を掻きだしていく。

背中ごしに衣擦れの音がした。

「先生、なんを……」

「どん太郎か？　お前も手伝ってくれ。葛だ、葛の根だ。……思いだしたんだ。唐から来た僧が、葛の根を煎じて病人に飲ませていた。薬だ。薬を、ハナに……」

話しながらも手はとめない。いつの間にか背中の気配はなくなっていた。理解されなくても、一人でもやらなければならない。しかし、

「先生、これ使ってくれんね」

黒くなった手元に、小さな鍬が差しだされた。見あげるとどん太郎がいた。日のさしこみはじめた林のなか、あちこちから声が聞こえる。

「ほかんやつも呼んできた。急ごうや」

禎嘉は鍬をうけとり、しまる大地へ力強くふり落ろした。


禎嘉は栃の木陰で、ぼんやりと虫たちの歌を聞いていた。草屋のなかでは妻たちが、汗ばんだハナの体を拭いてやっている。まだ目は離せないが、少女の顔色はずっとよくなってきていた。となりの岩にどん太郎が腰をおろした。特に言葉を交わすこともなく、二人で目の前の星空をながめる。

疲れ果てていた。もう、静寂をとりつくろう気も起きないほどに。禎嘉は数えきれない星を数えながら、今朝からのことをふり返っていた。

薬湯ができあがったのは、日もかたむきかけたころだった。

里人総出で葛の根を掘りだし、見つかったものからすり潰した。それを水に晒し、上澄みと塵をすてて、ふたたび水に晒す。皆でじりじりしながら水がめのなかを見つめた。

取りだした白い葛を鍋に入れ、水をたし、かき混ぜながら火にかける。とろりと透きとおったところで椀に移した。さじですくい、吹き冷ましたそれを、乳母がそっと口元にそそぎこむ。静かにハナの喉が動いた。またひとさじ、またひとさじ。しばらくしてうっすらと少女の目がひらき、そのころには里山はすっかり夕闇につつまれていた。

里人たちはすでに各々の家に帰り、家族とあたたかな灯を囲んでいる。

「どうして……」

気づくと言葉がもれていた。

「……どうして君たちは、私のことを信じてくれるんだ？」

どん太郎は首をかしげた。禎嘉はかまわずに続けて言った。

「私たちはよそ者だ。ハナがああいうことになって、災いを持ちこんだものとして追いだされてもおかしくないのに君たちは……いや、ハナもそうだ。どうして君たちは私たちをこんなに助けてくれる？　私が」

王だからか、と問いかけて、禎嘉は我に返った。何を寝ぼけたことを。しかし他の言葉が見つからず、彼は瞳を惑わせた。宝が目当てなのか。だが隠した御鏡のことは誰も知らないはずだ。ならば
「……なんけ？」

どん太郎のつぶやきに、はっと顔をあげる。青年は立ちあがって禎嘉のはるか後ろを見つめていた。背後からかすかに蹄の音が聞こえてくる。

禎嘉も立ちあがり、闇のむこうに目をこらした。蹄の音とともに、こちらを呼ぶ男の声が近づいてくる。

現れたのは、ハナの父、クロ助だった。

「なぜこんな夜中に……誰が知らせたんだ⁉」

「？　なんのことけ？」

馬の背から降りながらクロ助がたずねる。その顔は本当に何も知らないようだった。炭焼き男は駆けより、禎嘉の肩をつかんだ。

「そげなことより禎嘉さん、われん息子が見つかったが！」

「え」

「蚊口が浦に打ちあげられて、今は比木ゆうところにおる。あん川をずっと下ったとこよ」

クロ助はそう言って、月に照らされた田畑の先を指さした。懐から見覚えのある木偶を取りだし、たたずむ禎嘉の手に握らせる。

「これ、坊ちゃんに渡してやって」

児呵が川に流した木偶だった。

「……あなたは、そのためにこんな夜道を……？」

夜の山道は危うい。それは大の男でも変わらない。

禎嘉の問いに、男は笑っていった。

「子を心配する気持ちは、誰でんいっしょやろう？」

クロ助は娘の居所をたずね、どん太郎とともに草屋に入っていった。

禎嘉はひとり空を見た。
今夜の月光は、やけに暖かかった。

一次審査通過作品

「朝顔は咲いた？」とうげのぼる
「いつかまた」仲村優果里
「唄をうたひて」悠井すみれ
「オサナナジミ」まろたすみ
「オサラバー物語」三宅直子
「陽炎たちの午後」花篝霧子
「霧の記憶」石川秀信
「百済おう者」平伊志七
「百済の料理人」みよし麻
「ごっこ」上岡宏子
「寂しさの相似形」天野透
「そらのはて」高橋奨吾
「大好き」ころりんご
「旅の二人」松崎祥夫
「月夜の竪琴」松岡博
「鼓くらべ」中野ふ菜
「逃避行」蓬莱亘
「逃げ水」黒木俊行
「破片」山﨑健史
「光ふる郷」松﨑雅美
「人違い」髙倉主水
「人ひとり」松田紙弥
「ひゅーがもんの郷」秋田早織
「僕の自由研究」篠千寿
「ポルックス」福田澄丘
「瞬きに残る青」加藤佳子
「無窮花の咲く丘」今辺蕗似
「流転の王子」石川純子
「歴史探偵　百済王伝説の謎」平田卓司
「六花の絆」牧野恒紀

お知らせ

第3回「西の正倉院 みさと文学賞」開催決定!!

好評につき「西の正倉院 みさと文学賞」は第3回も開催が決定いたしました。賞の詳細は下記のURLをご覧ください。たくさんのご応募をお待ちしております。

https://www.misatobungaku.com

第1回「西の正倉院 みさと文学賞」受賞作品がラジオドラマ化!!

令和2年1月11日（土）、MRTラジオにて、第1回「西の正倉院 みさと文学賞」受賞作品2作品のラジオドラマが放送されました。

「水たまり」（MRT宮崎放送・日本放送作家協会賞）

作：和田海作　脚色：出川真弘

「次元と時空」（大賞）

作：武田加代子　脚色：藤井香織（日本放送作家協会員）

下記の特設サイトより視聴可能です。ぜひご視聴ください。

http://mrt.jp/radio/special/shiwasu/

第2回「西の正倉院 みさと文学賞」作品集

2020年　3月 31日　初版発行

編　　者　「西の正倉院 みさと文学賞」実行委員会
（宮崎県美郷町、TBSスパークル）

装　　幀　飯田千瑛

協　　力　MRT宮崎放送、一般社団法人日本放送作家協会

後　　援　宮崎日日新聞社

企業版ふるさと納税協力企業　株式会社イワハラ、株式会社丸誠電器、株式会社花菱塗装技研工業、有限会社花菱精板工業、株式会社パシフィックシステム、三桜電設株式会社、大正測量設計株式会社宮崎支店、株式会社日向衛生公社、株式会社バディ、株式会社アブニール、株式会社大興不動産、株式会社南日本環境センター、株式会社創建、医療法人社団 創志会 東京中央美容外科

販 売 部　野田愛子

編 集 人　鈴木収春

発 行 人　石山健三

発 行 所　クラーケン
〒101-0064 東京都千代田区神田猿楽町2-1-14 A&Xビル4F
TEL　03-5259-5376
URL　https://krakenbooks.net
E-MAIL　info@krakenbooks.net

印刷・製本　中央精版印刷株式会社

ISBN 978-4-909313-09-6